일본어 능력시험에

필수 일본어 단어집

강진형 지음

머리말

일본어를 처음 시작하는 분, 또는 시작했다가 중도에 그만두신 분들이 가끔씩 이런 질문을 하신다. "일본어는 몇 달 정도만 하면 마스터할 수 있나요?". "일본어는 한국말과 같으니까 서너 달 정도 바짝 공부하면 마스터할 수 있죠?"

물론 일본어는 한국어와 어순이 비슷해서 한국인이 다른 언어보다 훨씬 친근감을 느끼고 쉽게 시작할 수 있는 언어임에는 분명하다. 하지만 모든 배움이 그러하듯이 일본어 역시 노력과 끈기를 많이 필요로 하는 것 같다. 일본어를 공부하기 시작한 지 어느새 15년, 이젠 일본어가 무섭지도 않을 법한데 오히려 요즘 들어 이런 생각을 많이 하게 된다.

모국어가 아닌 언어를 아주 자연스럽게 구사하는 사람들에게는 일종의 공통점이 있다. 즉, 상황에 맞는 단어나 표현들을 적절하고, 정확하게 사용한다는 것이다. 일종의 체화(體化)현상이다. 나도 처음 공부를 시작할 땐 이렇게 많은 단어와 표현을 언제 공부해서 언제 사용해보나 하는 막막한 마음마저 들었던 것이 사실이다. 하지만 돌이켜보면 그때 공부했던 기초 단어들이나 표현들이 지금의 나에게 가장 소중한 밑거름이 되어 주었다.

종종 일본어를 포함해서 외국어는 단어와의 싸움이라는 말을 듣는데 나는 이에 대해 조금 다르게 생각한다. 즉, 물리적으로 많은 단어들을 공부하는 것도 좋겠지만 각각의 단어를 단순 암기하기보다는 문맥 속에서, 상황 속에서 공부한다면 훨씬 다양한 응용과 풍부한 표현이 가능하다는 것이다.

따라서 이 책은 기초적인 단어를 소재로 하고 있지만 최대한 일상생활을 가정한 예문을 제시하여 자연스러운 응용과 함께 미묘한 뉘앙스도 아울러 공부할 수 있도록 노력하였고 독자들도 이 점에 유의하여 공부해주었으면 하는 바람이다.

이렇게 기초실력 다지기를 위해 인고의 세월을 보내다 보면 어느 순간엔가 가속도가 붙는 신기한 현상이 일어난다. 어린 아기가 처음에는"엄마, 아빠" 등의 단어로만 자기 표현을 하다가 어느 순간에 갑자기 완결문장으로 의사표시를 할 때의 황홀함, 독자들도 꼭 그런 경험을 만끽할 수 있기 바라며 이 책이 좋은 길잡이가 될 수 있기를 진심으로 기원한다.

마지막으로 이 책에 제시된 예문을 꼼꼼히 교정해주신 후쿠오카현 사무소의 야마시타 씨, 그리고 원고작업 기간 내내 산고의 고통을 함께 나눠준 제이플러스의 이기선 실장, 김지은 씨에게도 감사드린다.

강진형

일러두기

이 책은 다음과 같은 구성으로 편집되어 있습니다.

동사, 형용사, 형용동사, 부사, 접속사까지는 시험이나 독해, 회화 등 어느 분야에서나 꼭 나오는 어휘를 엄선하여 묶은 것이므로 모두 알아두어야 합니다. 하지만, "한자"는 약간 내용이 어려울 수도 있겠지만, 자주 쓰는 한자나 읽기 어려운 한자를 모아 한자에 대한 자신감을 키울 수 있도록 하였고, 명사나 외래어는 외운다는 것보다는 알고 있는지 확인하고, 모르는 단어만 표시해서 공부한다면 도움이 될 것입니다. 단순한 단어암기보다는 한자 읽기 부분을 가리고 써보는 연습, 발음만 보고 한자를 써보는 연습을 한다면 큰 도움이 될 것입니다. 각 항목별 구성은 다음과 같습니다.

숫자	품사별로 나온 어휘 수를 체크하여 학습계획을 세워 공부할 수 있습니다.
급수	일본어능력시험 출제 단어 급수를 표시하였습니다.
단어	학습해야 할 어휘입니다.
뜻	가장 대표적인 뜻과 반대말 등을 알려줍니다.
예문과 뜻	회화에서 바로 사용할 수 있는 예문과 뜻을 실었습니다. 그 단어가 들어간 관용구나 빈도 높은 예문으로 구성되어 있습니다.
한자	단어의 한자의 음독과 음독 예를 같이 실어 옥편을 찾을 필요없이 한자도 같이 익힐 수 있습니다.
문제	품사별로 익힌 단어들을 중심으로 어휘력을 테스트해볼 수 있습니다.
MP3음원	동사 ~ 명사까지 단어와 예문이 일본어로 수록되어 있습니다.

목 차

01
동사

동사 01 학습활동에 관한 말

01 N5 見(み)る □□ 上1他

「~てみる」처럼 쓸 때는 히라가나로 표기

보다

昨日(きのう)は 一日中(いちにちじゅう) テレビばかり 見(み)ました。
어제는 하루종일 TV만 보았습니다.

この本(ほん)は 是非(ぜひ) 読(よ)んでみてください。
이 책은 꼭 읽어보십시오.

見[けん] 볼 견 見聞録(けんぶんろく) 견문록

02 N5 見(み)せる □□ 下1他

보이다, 보여주다

友達(ともだち)に 彼氏(かれし)の 写真(しゃしん)を 見(み)せました。
친구에게 남자친구 사진을 보여주었습니다.

必(かなら)ず 合格(ごうかく)してみせるぞ。
반드시 합격해 보이겠다.

見[けん] 볼 견 意見[いけん] 의견

03 N5 聞(き)く □□ 5他

듣다, 묻다

一度(いちど)も 聞(き)いたことのない 歌(うた)です。
한번도 들어본 적이 없는 노래입니다.

お祖父(じい)さんにも 聞(き)いてみました。
할아버지께도 여쭤봤습니다.

聞[ぶん] 들을 문 新聞(しんぶん) 신문

04 N4 □ □

聞(き)こえる

下1自

들리다

遠(とお)くから お母(かあ)さんの 声(こえ)が 聞(き)こえた。
멀리서 어머니의 목소리가 들렸다.

うるさくて、よく 聞(き)こえません。
시끄러워서 잘 안 들립니다.

聞[ぶん] 들을 문 **見聞(けんぶん)** 견문(보고 들음)

05 N5 □ □

書(か)く

5他

쓰다

英語(えいご)で 手紙(てがみ)が 書(か)けますか。
영어로 편지를 쓸 수 있어요?

명사형으로 쓰일 경우

手書(てがき)	손으로 쓴 것(수기)
葉書(はがき)	엽서
読(よ)み書(か)き	읽고 쓰기

'보다'에 관한 말

見る	보다(타동사)
見せる	보여주다(타동사)
見られる	볼 수 있다(가능)
見られる	보여지다(수동)
見える	보이다(자동사)
ご覧(らん)になる	보시다(존경어)
拝見(はいけん)する	삼가 보다(겸양어)

동사 02 **학습, 사고에 관한 말**

06 N5

おし
教える

下1他

가르치다

にほんご　パクせんせい　おし
日本語は 朴先生に 教えていただきました。
일본어는 박선생님께 배웠습니다.

はは　ちゅうがっこう　えいご　おし
母は 中学校で 英語を 教えています。
어머니는 중학교에서 영어를 가르치고 계십니다.

教[きょう] 가르칠 교　**教育(きょういく)** 교육

07 N5

なら
習う

5他

배우다　* 특히 외국어나 예체능계

さいきん　ご　なら　はじ
最近 フランス語を 習い始めた。
최근에 프랑스어를 배우기 시작했다.

むかしなら　わす
昔習いましたが、忘れてしまいました。
옛날에 배웠지만 잊어버렸습니다.

習[しゅう] 배울 습　**習慣(しゅうかん)** 습관

08 N5

おぼ
覚える

下1他

기억하다, 외우다　↔ 忘(わす)れる

えいたんご　おぼ
英単語は 覚えにくい。
영어단어는 외우기 어렵다.

なまえ　おぼ
わたしの 名前、覚えている?
내 이름 기억하니?

覚[かく] 깨달을 각　**覚悟(かくご)** 각오

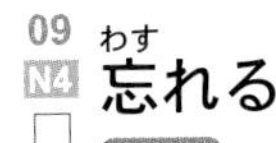

09 忘(わす)れる

N4 □ □ 下1自他

잊다

昔(むかし)のことは もう 忘(わす)れた。
옛일은 이미 잊어버렸다.

あの時(とき)のことは 忘(わす)れられません。
그때의 일은 잊을 수가 없습니다.

忘[ぼう] 잊을 망 忘却(ぼうきゃく) 망각

10 思(おも)う

N4 □ □ 5他

생각하다

思(おも)ったより 軽(かる)いですね。
생각했던 것보다 가볍군요.

これは いけないと 思(おも)った。
이건 안되겠구나 하고 생각했다.

思[し] 생각 사 意思(いし) 의사

11 考(かんが)える

N4 □ □ 下1他

생각하다

それに ついては 何度(なんど)も 考(かんが)えました。
그것에 대해서는 몇 번이나 생각했습니다.

考(かんが)えることと やることは 違(ちが)います。
생각하는 것과 행동하는 것은 다릅니다.

考[こう] 상고할 고 考古学(こうこがく) 고고학

동사 03 만나다, 알다에 관한 말

12 N4 □□

会(あ)う

5自

만나다 ↔ 別(わか)れる

今日(きょう)、初(はじ)めて 会(あ)いました。

오늘 처음 만났습니다.

友達(ともだち)に 会(あ)って 映画(えいが)を 見(み)ました。

친구를 만나 영화를 보았습니다.

会[かい] 만날 회 **会見(かいけん)** 회견

13 N4 □□

知(し)る

5他

알다

中国(ちゅうごく)のことなら よく 知(し)っています。

중국에 대해서는 잘 알고 있습니다.

彼(かれ)のことは 5年前(ごねんまえ)から 知(し)っている。

그와는 5년전부터 알고 있습니다.

긍정형은 항상 **知っている**로 쓰인다.

14 N4 □□

知(し)らせる

下1他

알리다

三日前(みっかまえ)までには 知(し)らせてください。

3일 전까지는 알려 주세요.

結果(けっか)は 後(あと)で お知(し)らせします。

결과는 나중에 통보해 드리겠습니다.

知[ち] 알 지 **知識(ちしき)** 지식

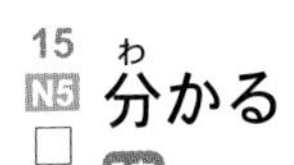

15 N5
分(わ)かる
5自

알다

分(わ)かりやすく 説明(せつめい)してください。
알기 쉽게 설명해 주세요.

一目(ひとめ)で 分(わ)かる。
한눈에 알 수 있다. (알아보다)

分[ぶん] 나눌 분　気分(きぶん) 기분

16 N4
別(わか)れる
下1自

헤어지다

彼(かれ)(彼女(かのじょ))と 別(わか)れた。
애인(걔랑)이랑 헤어졌어. (彼 : 남자 彼女 : 여자)

夫婦(ふうふ)が 別(わか)れる。
부부가 헤어지다(이혼하다).

別[べつ] 다를 별　特別(とくべつ) 특별

知(し)る와 分(わか)る

'**知る**'는 지식이나 정보 등을 갖고 있다는 뜻이고, '**分かる**'는 지식이나 정보를 갖고 있고, 이를 바탕으로 생각하거나 이해, 판단한다는 의미가 포함되어 있다.

- 'AA'という本を 知っていますか。
  'AA'라는 책을 압니까?
- 'AA'という本のタイトルの意味(いみ) 分かりますか。
  'AA'라는 책 타이틀의 뜻 알겠습니까?
  知る는 지식 · 지적인 것, **分かる**는 느낌 · 감정적인 것

동사 04 입동작에 관한 말

17 N5

言(い)う

5他

말하다

私(わたし)には 何(なに)を 言(い)っても 大丈夫(だいじょうぶ)だ。

나에게는 뭐든지 말해도 괜찮아.

これが 音楽(おんがく)という ものだ。

이것이 음악이라고 하는 것이다.

言[げん · ごん] 말씀 언 **言語(げんご)** 언어

18 N5

話(はな)す

5他

이야기하다

友(とも)だちと 映画(えいが)に ついて 話(はな)した。

친구와 영화에 대해 이야기했다.

彼(かれ)にも 話(はな)さなかった ことです。

그에게도 말하지 않았던 것입니다.

話[わ] 이야기 화 **話題(わだい)** 화제

19 N4

伝(つた)える

下1他

전하다

伝(つた)えたくない ニュースも あります。

전하고 싶지 않은 뉴스도 있습니다.

皆(みな)さんに よろしく お伝(つた)えください。

여러분들께 안부 전해 주세요.

伝[でん] 전할 전 **伝統(でんとう)** 전통

20 N5 **呼(よ)ぶ**

5他

부르다

皆(みんな)の 前(まえ)で 先生(せんせい)に 呼(よ)ばれた。

사람들 앞에서 선생님께 불렸다.

森(もり)さんの パーティに 呼(よ)ばれました。

모리씨의 파티에 초대를 받았습니다.

呼[こ] 부를 호 **呼吸**(こきゅう) 호흡

21 N5 **読(よ)む**

5他

읽다

この本(ほん)は 読(よ)んだ ことが ありません。

이 책은 읽은 적이 없습니다.

彼(かれ)は 人(ひと)の 心(こころ)を 読(よ)む 能力(のうりょく)を 持(も)っている。

그는 사람의 마음을 읽는 능력을 갖고 있다.

読[どく] 읽을 독 **読書**(どくしょ) 독서

'말하다' 에 관한 말

- 言(い)う … 말하다(일반적인 표현)
- 話(はな)す … 말하다(듣는 상대가 있다)
- 語(かた)る … 말하다(스토리를 정리해서 들려주는 뉘앙스)
- しゃべる … 재잘거리다(수다스러운 느낌)
- 述(の)べる … 진술하다, 말하다(뉴스 등)
- おっしゃる … 말씀하시다(존경어)
- うそをつく … 거짓말을 하다

동사 05 왕래에 관한 말

22
N5
行く(い)
5自

「ゆく」로도 읽는다.

가다　＊～に 行く ～하러 가다

6時(ろくじ)まで 行(い)きます。
6시까지 갈게요.

母(はは)は 買(か)い物(もの)に 行(い)きました。
어머니는 장보러 가셨어요.

行[ぎょう・こう] 갈 행　行事(ぎょうじ) 행사

23
N5
来る(く)
カ変

오다

バスがなかなか来(こ)なくてタクシーに乗(の)った。
버스가 너무 안 와서 택시를 탔다.

森(もり)さんなら もう 来(き)ていますよ。
모리 씨라면 이미 와 있어요.

来[らい] 올 래　未来(みらい) 미래

24
N5
帰る(かえ)
5自

돌아가다, 돌아오다

お帰(かえ)りなさい。
이제 오니? / 이제 오세요? (맞이할 때)

8時(はちじ)までに 帰(かえ)らなければ ならない。
8시까지 돌아가지 않으면 안 된다.

帰[き] 돌아갈 귀　帰宅(きたく) 귀가

25 N5 待(ま)つ

□
□

기다리다

しばらく お待(ま)ちください。

잠시 기다려 주십시오.

ずっと 試験(しけん)の 結果(けっか)を 待(ま)っている。

줄곧 시험 결과를 기다리고 있다.

待[たい] 기다릴 대　招待(しょうたい) 초대

26 N4 着(つ)く

□
□

도착하다

やっと 空港(くうこう)に 着(つ)きました。

겨우 공항에 도착했습니다.

どうぞ お席(せき)に 着(つ)いて ください。

자, 자리에 앉아 주십시오.

着[ちゃく] 닿도할 착　到着(とうちゃく) 도착

27 N4 渡(わた)る

□
□

건너다

向(むこ)うまでは 橋(はし)を 渡(わた)って行(い)くしかない。

건너편까지는 다리를 건너갈 수밖에 없다.

日本(にほん)に 渡(わた)ってきたのは 5年前(ごねんまえ)でした。

일본에 건너온 것은 5년 전이었습니다.

渡[と] 건널 도　渡来(とらい) 도래

동사 06 **발동작에 관한 말**

28 N5
歩く(あるく)
5自

걷다

学校(がっこう)までは 歩(ある)いて 行(い)きます。
학교까지는 걸어서 갑니다.

駅(えき)までは 歩(ある)かなければ なりません。
역까지는 걷지 않으면 안 됩니다.

歩[ほ] 걸음 보 **初歩(しょほ)** 초보, 첫걸음

29 N4
走る(はしる)
5自

달리다

皆(みんな)学校(がっこう)まで 走(はし)って 行(い)きました。
모두 학교까지 뛰어갔습니다.

ここは 自転車(じてんしゃ)が 走(はし)る 道(みち)です。
여기는 자전거가 달리는 길입니다.

走[そう] 달릴 주 **競争(きょうそう)** 경주

30 N5
泳ぐ(およぐ)

수영하다

夏休(なつやす)みになると、よく 海(うみ)で泳(およ)いでいた。
여름방학이 되면 자주 바다에서 헤엄쳤었다.

一人(ひとり)で 泳(およ)いでいかなければ ならない。
혼자서 헤쳐나가지 않으면 안 된다.

泳[えい] 헤엄칠 영 **水泳(すいえい)** 수영

1-06▸

동사

31

飛(と)ぶ

N5

5自

날다

空(そら)を 飛(と)ぶのが 夢(ゆめ)です。

하늘을 나는 것이 꿈입니다.

飛(と)ぶように 売(う)れる。

날개돋힌 듯이 팔리다. (관용구)

飛[ひ] 날 비 **飛行機(ひこうき)** 비행기

32

滑(すべ)る

N4

5自

미끄러지다

雪(ゆき)が 降(ふ)ると、道(みち)が 滑(すべ)りやすくなる。

눈이 오면 길이 미끄러워진다.

足(あし)が 滑(すべ)って、けがを した。

미끄러져서 상처를 입었다.

滑[かつ · こつ] 미끄러울 활 **滑走路(かっそうろ)** 활주로

33

踏(ふ)む

N4

5他

밟다

現代人(げんだいじん)は 土(つち)を 踏(ふ)むことが あまり ない。

현대인은 흙을 밟을 일이 거의 없다.

手続(てつづ)きを 踏(ふ)んで ください。

절차를 밟아 주세요.

踏[とう] 밟을 답 **踏査(とうさ)** 답사

동사 07 일상생활동작에 관한 말

34 N5

起(お)きる

上1自

일어나다 ＊타동사는 起(お)こす

朝(あさ) 起(お)きてから 夜(よる) 寝(ね)るまで。

아침에 일어나서 밤에 잘 때까지.

また、交通事故(こうつうじこ)が 起(お)きた。

또 교통사고가 일어났다.

起[き] 일어날 기　起床(きしょう) 기상

35 N5

洗(あら)う

5他

씻다

顔(かお)を 洗(あら)う。

얼굴을 씻다(세수하다).

自分(じぶん)の 下着(したぎ)は 自分(じぶん)で 洗(あら)いなさい。

자기 속옷은 스스로 세탁해라.

洗[せん] 씻을 세　洗濯(せんたく) 세탁, 빨래

36 N5

浴(あ)びる

上1他

뒤집어쓰다

シャワーを 浴(あ)びると、気持(きも)ちが よくなる。

샤워를 하면 기분이 좋아진다.

脚光(きゃっこう)を 浴(あ)びる。

각광을 받다.

浴[よく] 목욕 욕　浴室(よくしつ) 욕실

37
N5 **磨(みが)く**

닦다

一日(いちにち) 三回(さんかい) 歯(は)を 磨(みが)く。
하루 세 번 이를 닦는다.

一所懸命(いっしょけんめい)に 練習(れんしゅう)して、腕(うで)を 磨(みが)いた。
열심히 연습하여 실력을 연마했다.

磨[ま] 갈 마, 닦을 마 **摩擦(まさつ)** 마찰

38
N4 **眠(ねむ)る**
5自

잠자다

ゆうべは よく 眠(ねむ)りました。
어젯밤에는 잘 잤습니다.

才能(さいのう)が 眠(ねむ)っている。
재능이 잠자고 있다. 재능을 허비하고 있다.

眠[みん] 잠잘 면 **睡眠(すいみん)** 수면

39
N5 **寝(ね)る**

자다

まだ 寝(ね)て いますか。
아직 자고 있어요?

寝(ね)ても さめても。
자나 깨나. 항상. (관용구)

寝[しん] 잠잘 침 **寝具(しんぐ)** 침구

동사 08 먹는 동작에 관한 말

40 N5
食(た)べる 下1他

먹다

ご飯(はん)よ! さあ、食(た)べましょう。
식사시간이다! 자, 밥 먹자!

これは 食(た)べたことが ありません。
이건 먹어본 적이 없습니다.

食[しょく] 먹을 식 **食欲(しょくよく)** 식욕

41 N5
飲(の)む 5他

마시다

今夜(こんや)、飲(の)みに 行(い)きませんか。
오늘 밤, 한잔 할까요?

お飲(の)み物(もの)は 何(なに)に なさいますか。
마실 것은 뭘로 하시겠습니까?

飲[いん] 마실 음 **飲食(いんしょく)** 음식

42 N5
吸(す)う 5他

들이마시다

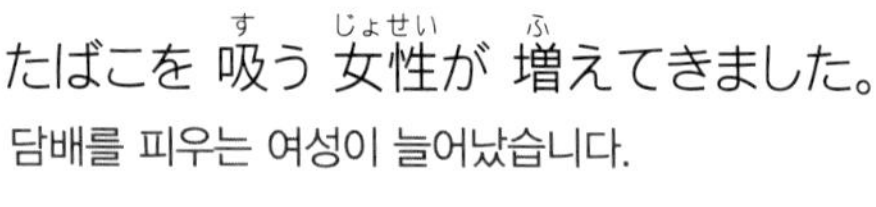

たばこを 吸(す)う 女性(じょせい)が 増(ふ)えてきました。
담배를 피우는 여성이 늘어났습니다.

胸(むね)の 奥(おく)まで 空気(くうき)を 吸(す)い込(こ)んだ。
가슴 깊숙히 공기를 들이마셨다.

吸[きゅう] 마실 흡 **呼吸(こきゅう)** 호흡

1-08▶

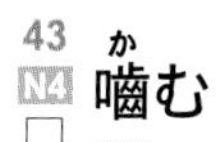

43 N4
嚙(か)む
□
□
5他

씹다

よく 嚙(か)んで 食(た)べてね。
꼭꼭 씹어서 먹어라.

犬(いぬ)に 嚙(か)まれて、病院(びょういん)に 行(い)った。
개한테 물려서 병원에 갔다.

嚙 깨물 교 * 훈독으로만 쓴다.

食(た)べる와 飲(の)む

'약을 먹는다'고 할 때는 「薬(くすり)を飲む。」라고 한다. 옛날에는 약을 다려서 탕으로 마시던 것에서 유래된 말이다.

동사 09 앉고 서는 동작에 관한 말

44 N5
すわ
座る
5自

앉다 ↔ 立(た)つ

机(つくえ)の 上(うえ)に 座(すわ)っている 子(こ)ども。
책상 위에 앉아 있는 아이.

社長(しゃちょう)の 椅子(いす)に 座(すわ)る。
사장 의자에 앉다. → 사장이 되다.

座[ざ] 앉을 좌 座席(ざせき) 좌석

45 N5
た
立つ
5自

일어서다

立(た)っている人(ひと)は 座(すわ)ってください。
서 있는 사람은 앉아 주세요.

彼(かれ)が 急(きゅう)に 立(た)ち上(あ)がった。
그가 갑자기 (벌떡) 일어났다.

立[りつ] 설 립 立案(りつあん) 입안

「立つ」가 들어가는 말

- 毛(け)が 立つ　쭈뼛쭈뼛 털이 서다
- けむりが 立つ　연기가 나다
- 目立(めだ)つ　눈에 띄다
- 腹(はら)が 立つ　화가 나다
- 立(た)ち食(ぐ)い　立(た)つ 서서 + 食(く)う 먹다 → 서서 먹는 것

46 N3
立(た)てる
□
□
下1他

세우다

夏休(なつやす)みの 計画(けいかく)を 立(た)てています。
여름 휴가 계획을 세우고 있습니다.

耳(みみ)を 立(た)てて 聞(き)いてください。
귀 기울여서 들어 주십시오.

立[りつ] 설 립　起立(きりつ) 기립

동사 10 놀고 쉬는 동작에 관한 말

47 N5

あそ
遊ぶ

5自

놀다

いちにちじゅう あそ
一日中 遊んでみたい。

하루종일 놀아보고 싶다.

た あそ いちばん
よく 食べて、よく 遊ぶことが 一番。

잘 먹고 잘 노는 것이 최고.

遊[ゆう] 놀 유 **遊覧船(ゆうらんせん)** 유람선

48 N5

うた
歌う

5他

노래하다

かんこくじん うた うた だい す
韓国人は 歌を 歌うのが 大好きです。

한국인은 노래 부르는 것을 매우 좋아합니다.

おお こえ うた
大きい 声で 歌ってみましょう。

커다란 목소리로 (노래)불러 봅시다.

歌[か] 노래할 가 **歌手(かしゅ)** 가수

49 N4

おど
踊る

5他

춤추다

おど
タンゴを 踊る ことが できますか。

탱고를 출 수 있습니까?

おど
アムロナミエは 踊りが とても うまい。

아무로나미에는 춤을 매우 잘 춘다.

踊[よう] 뛸 용 **舞踊(ぶよう)** 무용

50 つか
N4 **疲れる**
□
□ 下1自

피로해지다

ああ、疲(つか)れた。
아이구 피곤해라.

お疲(つか)れ様(さま)でした。
수고하셨습니다. (인사말)

疲[ひ] 지칠 피 疲労気味(ひろうぎみ) 피로기미

51 やす
N5 **休む**
□
□ 5自

쉬다

休(やす)む 暇(ひま)も なく 働(はたら)いています。
쉴 시간도 없이 일하고 있습니다.

お休(やす)みなさい。
안녕히 주무세요.

休[きゅう] 쉴 휴 休暇(きゅうか) 휴가

동사 11 착용에 관한 말

52 着る(きる)
N4 上1他

입다 ↔ 脱(ぬ)ぐ

黄色(きいろ)い セーターを 着(き)ている 男性(だんせい)。
노란 스웨터를 입고 있는 남자.

着(き)る ものが ない。
입을 것이 없다.

着[ちゃく] 입을 착 **着用(ちゃくよう)** 착용

53 履く(はく)
N4 5他

신다, 입다 (치마 · 바지 · 양말)

黒(くろ)い ズボンを 履(は)いている。
검은 바지를 입고 있다.

子(こ)どもは 一人(ひとり)で 靴(くつ)を 履(は)きました。
아이는 혼자서 신발을 신었습니다.

履[り] 신 리, 밟을 리 **履歴(りれき)** 이력

54 脱ぐ(ぬぐ)
N4 5他

벗다

家(いえ)に 帰(かえ)ったら、まず 靴(くつ)を 脱(ぬ)ぎます。
집으로 돌아가면 우선 신발을 벗습니다.

脱(ぬ)いだ 服(ふく)は 洗濯機(せんたくき)に 入(い)れること。
벗은 옷은 세탁기에 넣을 것.

脱[だつ] 벗을 탈 **脱出(だっしゅつ)** 탈출

55 N5 被る(かぶ) 5他

(위로 뒤집어)쓰다 ↔ 脱(ぬ)ぐ

寒(さむ)くて、帽子(ぼうし)も被(かぶ)りました。

추워서 모자도 썼습니다.

罪(つみ)を被(かぶ)る。

죄를 뒤집어 쓰다.

被[ひ] 입을 피 被害(ひがい) 피해

동사 12 접착, 장식에 관한 말

56
N4 **つく**
5自

붙다 ＊타동사는 つける

教室(きょうしつ)に 電気(でんき)が ついている。
교실에 불이 켜져 있다.

お風呂(ふろ)つきの 部屋(へや)。 욕실 딸린 방.

57
N4 **つける**
下1他

붙이다

皆(みんな)に あだ名(な)を つける。
모두에게 별명을 붙이다.

ブローチを つける。 브로치를 달다.

- 電気(でんき)を つける　전깃불을 켜다
- 身(み)に つける　몸에 익히다 → 배우다

はる와 つける

둘 다 '붙이다'란 뜻이 있는데, **はる**는 우표에 풀을 붙이는 것처럼 전면에 발라 붙이는 것, **つける**는 점을 찍듯이 어느 한 곳만 살짝 붙이는 것을 말한다.

58
N4 **張(は)る**
5他

붙이다, 펴다

手紙(てがみ)に 切手(きって)を 張(は)って 送(おく)った。
편지에 우표를 붙여서 보냈다.

胸(むね)を 張(は)る。
가슴을 펴다.

張[ちょう] 베풀 장　主張(しゅちょう) 주장

59 かざ

飾る
□
□ 5他

장식하다

テーブルは 花(はな)で 飾(かざ)りましょう。
테이블은 꽃으로 장식합시다.

珍(めずら)しくて 高(たか)いもので 飾(かざ)る。
진귀하고 비싼 것들로 장식하다.

飾[しょく] 꾸밀 식 装飾(そうしょく) 장식

60 け
N5 **消す**
□
□ 5他

끄다, 지우다 *자동사는 消(き)える

電気(でんき)を 消(け)しては いけません。
전등을 꺼서는 안 됩니다.

明(あか)りを 消(け)して。
불을 꺼 줘. (노래가사)

消(け)しゴム = 消(け)す 지우는 + ゴム 고무 → 지우개

61 き
N5 **消える**
□
□ 下1自

꺼지다

とうとう 最後(さいご)の火(ひ)が 消(き)えてしまった。
마침내 마지막 불이 꺼지고 말았다.

電気(でんき)が 消(き)えた。
전기가 나갔다.

消[しょう] 사라질 소 消費者(しょうひしゃ) 소비자

동사 13 **손동작에 관한 말**

62 N5 **作る**(つくる) 5他

만들다

これ、妹(いもうと)と 一緒(いっしょ)に 作(つく)った ものです。
이것, 여동생과 같이 만든 것입니다.

作(つく)りたいものが いっぱい あります。
만들어 보고 싶은 것이 아주 많습니다.

作[さく] 만들 작 作品(さくひん) 작품

63 N5 **使う**(つかう) 5他

사용하다, 쓰다

テープを 使(つか)って 聴(き)き取(と)り練習(れんしゅう)を している。
테이프를 이용하여 듣기연습을 하고 있다.

まだコンピューターの使(つか)い方(かた)が分(わ)からない。
아직 컴퓨터 사용방법을 모른다.

使[し] 쓸 사 使用(しよう) 사용

64 N4 **切る**(きる) 5他

자르다, 끊다, 썰다

髪(かみ)の毛(け)を 短(みじか)く 切(き)りました。
머리를 짧게 잘랐습니다.

スイッチを 切(き)ってください。
전원을 꺼 주십시오.

切[せつ] 끊을 절 親切(しんせつ) 친절

65
N3
折(お)る

5他

접다　* 자동사는 折(お)れる

脚(あし)を 折(お)って しまった。

다리가 부러져버렸다.

折(お)り紙(がみ)

종이접기 놀이 또는 색종이

折[せつ] 굽힐 절　折衝(せっしょう) 절충

66
N4
折(お)れる

下1自

접히다

風(かぜ)で 枝(えだ)が 折(お)れてしまった。

바람 때문에 가지가 부러졌다.

事故(じこ)で 脚(あし)が 折(お)れた 人(ひと)も いる。

사고로 다리가 부러진 사람도 있다.

折[せつ] 굽힐 절　骨折(こっせつ) 골절

동사 14 거래에 관한 말

67 N5
売(う)る
5他

팔다 ↔ 買(か)う

この 店(みせ)では 新鮮(しんせん)な 魚(さかな)を 売(う)っている。
이 가게는 신선한 생선을 팔고 있다.

まんがは どこで 売(う)っていますか。
만화는 어디서 팔아요?

売[ばい] 팔 매　販売(はんばい) 판매

68 N5
買(か)う
5他

사다

今度(こんど)は 家具(かぐ)を 買(か)う つもりです。
이번에는 가구를 살 예정입니다.

買(か)いたい ものが いっぱい ありました。
사고 싶은 게 너무 많았습니다.

買[ばい] 살 매　売買(ばいばい) 매매

69 N5
貸(か)す
5他

빌려주다 ↔ 借(か)りる

ノートを 貸(か)してくれませんか。
노트를 빌려주지 않을래요?

ちょっと、手(て)を 貸(か)してください。
잠깐 손을 빌려주세요. → 도와달라는 뜻

貸[たい] 빌릴 대　賃貸(ちんたい) 임대

70
N5 借(か)りる

上1他

빌리다

親(おや)の 力(ちから)は 借(か)りたくない。
부모의 힘은 빌리고 싶지 않다.

猫(ねこ)の 手(て)も 借(か)りたい。(아주 바쁘다는 뜻.)
고양이 손이라도 빌리고 싶다.

借[しゃく] 빌 차　借家(しゃくや) 셋집

71
N5 返(かえ)す
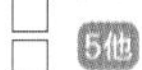
5他

(되)돌리다

借(か)りた ものは 早(はや)く 返(かえ)した ほうがよい。
빌린 것은 빨리 돌려주는 것이 좋다.

あの本(ほん)、返(かえ)して もらいたいですが。
그 책 좀 돌려주셨으면 합니다만.

返[へん] 돌아올 반　返換(へんかん) 반환

72
N4 払(はら)う

5他

지불하다

5千円(ごせんえん) 払(はら)った。
5천엔 지불했다.

ほこりを 払(はら)うなど、掃除(そうじ)を しました。
먼지를 털어내는 등 청소를 했습니다.

払[ふつ] 떨칠 불(주로 훈독)　支払い(しはらい) 지불

동사 15 선택, 결정에 관한 말

73 N4

選(えら)ぶ

5他

고르다

お好(す)きなものを 選(えら)んでください。

좋아하는 것을 고르세요.

代表選手(だいひょうせんしゅ)に 選(えら)ばれた 時(とき)の 喜(よろこ)び。

대표 선수로 선택되었을 때의 기쁨.

選[せん] 고를 선　選択(せんたく) 선택

74 N5

変(か)える

下1他

바꾸다

これまでの 方針(ほうしん)を 変(か)えた。

지금까지의 방침을 바꿨다.

デザインを 変(か)えてみました。

디자인을 바꾸어 보았습니다.

変[へん] 바꿀 변　変更(へんこう) 변경

75 N4

変(か)わる

5自

바뀌다

何一(なにひと)つ 変(か)わった ものが ない。

무엇 하나 변한 것이 없다.

考(かんが)えが 変(か)わりました。

생각이 바뀌었습니다.

季節(きせつ)の変(か)わり目(め) 환절기

76 N4
取(と)り替(か)える
下1他

교체하다

古(ふる)い 紙(かみ)を 新(あたら)しい 紙(かみ)に 取(と)り替(か)えた。
오래된 종이를 새것으로 교체했다.

シートを 取(と)り替(か)えてください。
시트를 바꿔 주세요.

取る 취하다 + **替える** 바꾸다 → 교체하다

77 N4
比(くら)べる
下1他

비교하다

誰(だれ)の 背(せ)が 高(たか)いのかを 比(くら)べてみた。
누구 키가 더 큰지 비교해 봤다.

比(くら)べ物(もの)に ならない。
견줄 바가 아니다. (비교가 안 된다는 뜻)

比[ひ] 견줄 비 **比較(ひかく)** 비교

78 N4
決(き)める
下1他

결정하다 * 자동사는 **決(き)まる**

人間(にんげん)が 決(き)められない ことも ある。
인간이 결정할 수 없는 것도 있다.

決(き)められた ことは 守(まも)るべきである。
결정된 사항은 지켜야 한다.

決[けつ] 결단할 결 **決意(けつい)** 결의

동사 16 찾다에 관한 말

79 N4
探す(さが) 5他

찾다

探しもの(さが)は 何(なん)ですか。(노래가사)
찾는 것은 무엇인가요?

落し物(おと もの)を 探(さが)しました。
잃어버린 물건을 찾았습니다.

探[たん] 찾을 탐　探険(たんけん) 탐험

80 N4
調べる(しら) 下1他

조사하다

じっくり 調(しら)べましょう。
찬찬히 조사해 봅시다.

警察(けいさつ)の 調(しら)べに よりますと、
경찰 조사에 따르면, (뉴스에서 자주 쓰는 말)

調[ちょう] 고를 조　調査(ちょうさ) 조사

81 N4
見える(み) 下1自

보이다

字(じ)が 小(ち)さくて、よく 見(み)えません。
글자가 작아서 잘 보이지 않습니다.

私(わたし)が 犯人(はんにん)に 見(み)えますか。
제가 범인으로 보입니까?

見[けん] 볼 견　意見(いけん) 의견

82 N4
見(み)つかる
5自

발견되다 * 타동사는 見(み)つける

彼(かれ)は 見(み)つからなかった。
그 사람은 찾지 못했다.

先生(せんせい)に 見(み)つかって、怒(おこ)られた。
선생님께 들켜 꾸중을 들었다.

見つからないように 들키지 않게

83 N4
見(み)つける
下1他

찾아내다, 발견하다

いい 方法(ほうほう)を 見(み)つけた!
좋은 방법을 찾았다!

やっと 仕事(しごと)を 見(み)つけた。
겨우 일자리를 찾았다.

発見(はっけん)する 발견하다

동사 17 출입에 관한 말

84 N5
だ
出す
5他

(밖으로)내밀다 ↔ 入(い)れる

そと て だ
外に 手を 出しては いけません。
밖으로 손을 내밀면 안돼요.

かお だ
たまに 顔を 出している くらいだ。
가끔 얼굴을 내밀고 있는 정도다.

出[しゅつ] 날 출 出席(しゅっせき) 출석

85 N5
で
出る
下1自

나가(오)다 * 타동사는 出(だ)す

きのう かいしゃ で
昨日も 会社に 出なかった。
어제도 회사에 안 나왔다.

しんぶん で
新聞にも 出ました。
신문에도 (기사가) 나왔어요.

出[しゅつ] 날 출 輸出(ゆしゅつ) 수출

86 N5
はい
入る
5他

들어가(오)다 ↔ 出(で)る

ぜんぶ はい
全部は 入りません。
전부는 다 들어가지 않습니다.

かいしゃ はい にねんめ
会社に 入ってから、もう 2年目です。
회사에 들어온 지 벌써 2년째입니다.

出入(でい)り 출입

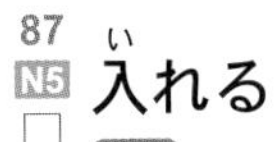

87
N5
入(い)れる
下1他

(집어)넣다

すいかは 冷蔵庫(れいぞうこ)に 入(い)れておいた。
수박은 냉장고에 넣어 두었다.

この かばんには 何(なに)を 入(い)れる?
이 가방에는 뭘 넣을까?

入[にゅう] 들 입　入門(にゅうもん) 입문

入(い)れる가 들어가는 관용표현

- 念(ねん)を 入れる　다짐하다
- 身(み)を 入れる　몰두하다
- 手(て)に 入れる　입수하다
- 耳(みみ)に 入れる　말을 듣다, 들어주다
- 口(くち)を 入れる　참견하다

入의 훈독 3가지

- 入(い)る　들다　入(い)り口(ぐち) 입구
- 入(い)れる　넣다　受(う)け入(い)れる 받아들이다
- 入(はい)る　들어가다　大学(だいがく)に 入(はい)る 대학에 들어가다

동사 18 장소이동에 관한 말(교통)

88 N5
乗(の)る 5他

타다

初(はじ)めて 飛行機(ひこうき)に 乗(の)ってみました。
처음으로 비행기를 타보았습니다.

リズムに 乗(の)って 踊(おど)って見(み)ましょう。
리듬을 타며(리듬에 맞춰) 춤춰봅시다.

乗[じょう] 탈 승　乗車(じょうしゃ) 승차

89 N4
乗(の)り換(か)える 下1自

갈아타다　* 乗り 타서 + 換える 바꾸다

途中(とちゅう)で 地下鉄(ちかてつ)に 乗(の)り換(か)えた。
도중에 지하철로 갈아탔다.

汽車(きしゃ)に 乗(の)り換(か)えた 方(ほう)が 早(はや)い。
기차로 갈아타는 것이 빠르다.

乗(の)り換(か)え駅(えき) 환승역

90 N4
降(お)りる 上1自

내리다

山(やま)は 登(のぼ)るのも 降(お)りるのも 大変(たいへん)だ。
산은 오르는 것도 내려오는 것도 힘들다.

バスから 降(お)りる。
버스에서 내리다.

降[こう] 내릴 강　降雨量(こううりょう) 강우량

91 N5 登(のぼ)る

5自

(높은 곳에)오르다

山(やま)に 登(のぼ)る ことが 趣味(しゅみ)です。
산에 오르는 것이 취미입니다.

山登(やまのぼ)り와 登山(とざん)

山登り는 가벼운 등산을 의미하는 말로 「**山歩(やまある)き**」, 「**ハイキング**」라고도 한다. 하지만 **登山**은 본격적으로 장비를 갖추고 높은 산을 오르는 것을 말한다.

92 N4 残(のこ)る
5自

남다　* 타동사는 残(のこ)す

現在(げんざい)、残(のこ)っている 人(ひと)は 3名(さんめい)だけです。
현재 남아있는 사람은 단 세 명입니다.

少(すこ)ししか 残(のこ)って いない。
조금밖에 남지 않았다.

残[ざん] 남을 잔　**残業(ざんぎょう)** 잔업

93 N3 移(うつ)る
5自

옮기다

風邪(かぜ)が 移(うつ)って 大変(たいへん)だった。
감기가 옮아서 고생했다.

去年(きょねん) ソウルから 釜山(プサン)に 移(うつ)った。
작년에 서울에서 부산으로 옮겼다.

移[い] 옮길 이　**移動(いどう)** 이동

오르다, 내리다에 관한 말

94 N5

上(あ)がる

5自

오르다 ↔ 下(さ)がる

成績(せいせき)が上(あ)がったり下(さ)がったりしています。

성적이 오르락 내리락 합니다.

やっと 雨(あめ)が 上(あ)がりました。

겨우 비가 그쳤습니다.

雨が上がる 비가 그치다(관용구)

95 N5

上(あ)げる

下1他

올리다 ↔ 下(さ)げる

本(ほん)を 買(か)う 人(ひと)は 手(て)を 上(あ)げてください。

책을 살 사람은 손을 들어 주세요.

もう 少(すこ)し スピードを 上(あ)げましょう。

좀 더 속도를 올려보죠.

~てあげる ~해 주다

96 N4

下(さ)がる

5自

(정도가)떨어지다

薬(くすり)を 飲(の)ませたら やっと 熱(ねつ)が 下(さ)がった。

약을 먹였더니 겨우 열이 떨어졌다.

物価(ぶっか)が 下(さ)がる。

물가가 떨어지다.

下(さ)がりめ 내림세, 하락세

97 N4 下(さ)げる
下1他

낮추다

ボリュームを 下(さ)げてください。
볼륨을 줄여 주세요.

とうとう 彼(かれ)に 頭(あたま)を 下(さ)げました。
결국 그 사람에게 머리를 숙였습니다.

下[か · げ] 아래 하　下落(げらく) 하락

98 N4 落(お)ちる
上1自

떨어지다

秋(あき)に なると、木(こ)の葉(は)が 落(お)ち始(はじ)めた。
가을이 되자 나뭇잎이 떨어지기 시작했다.

日(ひ)が 落(お)ちて、暗(くら)くなった。
해가 져서 어두워졌다.

落[らく] 떨어질 락　脱落(だつらく) 탈락

99 N4 落(お)とす
5他

떨어뜨리다

バスで 財布(さいふ)を 落(お)とした。
버스에서 지갑을 떨어뜨렸다.

スピードを 落(お)として、ゆっくり 走(はし)ろう。
스피드를 낮추고 천천히 달리자.

落[らく] 떨어질 락　落選(らくせん) 낙선

동사 20

열다, 닫다에 관한 말

100 N5

開(あ)く

5自

열리다

銀行(ぎんこう)は 3時(さんじ)まで 開(あ)いています。

은행은 3시까지 영업합니다.

開(あ)いた 口(くち)が ふさがらない。

열린 입이 다물어지지 않는다(어이가 없다).

開[かい] 열 개 **開幕(かいまく)** 개막

101 N5

開(あ)ける

下1他

열다 ↔ 閉(と)じる

暑(あつ)いから、窓(まど)を 開(あ)けましょう。

더우니까 창을 열죠.

12時(じゅうにじ)まで 門(もん)を 開(あ)けておく。

12시까지 문을 열어 두다.

目(め)を開ける 눈을 뜨다

102 N4

開(ひら)く

5他

열다 ↔ 閉(と)じる

目(め)を 開(ひら)いてください。

눈을 뜨세요.

お店(みせ)を 開(ひら)く。

가게를 열다.

開[かい] 열 개 **開会(かいかい)** 개회

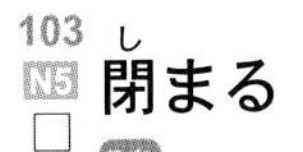

103 閉(し)まる
N5 5自

닫히다 ↔ 開(あ)く

窓(まど)が よく 閉(し)まらない。
창문이 잘 안 잠긴다.

戸閉(とじ)まりを お忘(わす)れなく。
문단속을 잊지 말 것.

閉[へい] 닫을 폐 **閉店(へいてん)** 폐점

104 閉(し)める
N5 下1他

닫다 ↔ 開(あ)ける

必(かなら)ず ドアを 閉(し)めてください。
반드시 문을 잠궈 주십시오.

夜(よる)8時(はちじ)に お店(みせ)を 閉(し)めます。
저녁 8시에 가게 문을 닫습니다.

閉[へい] 닫을 폐 **密閉(みっぺい)** 밀폐

105 空(す)く
N3 5自

(속이)비다

お腹(なか)が 空(す)きました。
배가 고픕니다.

この お店(みせ)は 空(す)いている。
이 가게는 손님이 적다.

空[くう] 하늘 공 **空気(くうき)** 공기

동사 21 하다에 관한 말

106
N5 する
サ変

하다(=do)

これも しなければ なりませんか。
이것도 하지 않으면 안되나요?

博物館(はくぶつかん)も 見学(けんがく)しました。
박물관도 견학했습니다.

勉強(べんきょう)する 공부하다

107
N5 やる
5他

하다

とりあえず やってみます。
일단 해 볼게요.

すると やる

① 「やる」는 「する」보다 회화체표현이다.
② 「やる」는 아랫사람에게 '~해준다'는 뜻으로도 쓴다.
③ 勉強する(공부하다)처럼 '한자어+する'로 된 말은 '한자어+やる'로 바꿀 수 없다.

* やりがい = やる 하다 + かい 보람 → 보람

108
N3 行(おこな)う
5他

(시)행하다

これから 開会式(かいかいしき)を 行(おこな)います。
지금부터 개회식을 시작하겠습니다.

行[ぎょう · こう] 행할 행　行動(こうどう) 행동

109 つと
N4 **勤める**
□
□ 下1自

근무하다 〈~に〉

トヨタ自動車(じどうしゃ)に 勤(つと)めています。
토요타자동차에서 근무하고 있습니다.

お勤(つと)め先(さき)は どちらですか。
근무처는 어디입니까?

勤[きん] 부지런할 근 **勤勉**(きんべん) 근면

110 はたら
N4 **働く**
□
□ 5自

일하다

私(わたし)たちは 一生懸命(いっしょうけんめい)に 働(はたら)きました。
저희는 열심히 일했습니다.

勤める와 働く

勤める는 특히 금전을 얻기 위해 일정 조직의 일원이 되어서 정해진 일을 하는 것이고, **働く**는 머리와 몸을 사용해서 일하는 것을 뜻한다.

働[どう] * 일본에서 만든 한자 **労働**(ろうどう) 노동

111 うご
N4 **動く**
□
□ 5自

움직이다

しばらく 動(うご)かないでください。
잠시 움직이지 말아 주세요.

動[どう] 움직일 동 **運動**(うんどう) 운동

동사 22

손동작에 관한 말

112 N5 押(お)す 5自

밀다 ↔ 引(ひ)く

ドアを 右側(みぎがわ)に 押(お)してください。
문을 오른쪽으로 밀어 주세요.

木村(きむら)さんの 力(ちから)に 押(お)されてしまった。
기무라 씨의 힘에 눌리고 말았다.

押[おう] 누를 압 押収(おうしゅう) 압수

113 N4 引(ひ)く 5他

당기다, 끌다, 빼다

5(ご)から 2(に)を 引(ひ)くと 3(さん)に なります。
5에서 2를 빼면 3이 됩니다.

彼女(かのじょ)には 人(ひと)の心(こころ)を 引(ひ)く 力(ちから)が ある。
그녀에게는 사람의 마음을 끄는 힘이 있다.

引[いん] 끌 인 引退(いんたい) 인퇴, 은퇴

114 N5 持(も)つ 5他

쥐다, 들다

しっかり 持(も)っていてください。
꼭 쥐고 계세요.

自分(じぶん)の車(くるま)を 持(も)つことが 夢(ゆめ)です。
내 차를 가지는 것이 소원입니다.

持[じ] 가질 지, 지닐 지 持続(じぞく) 지속

115 つか
N4 **捕まえる**
下1他

붙잡다

はんにん　つか
犯人を 捕まえました。
범인을 붙잡았습니다.

けいさつ　つか　ひと
警察に 捕まえられた 人。
경찰에 붙잡힌 사람.

捕[ほ] 잡을 포 **逮捕(たいほ)** 체포

116 な
N4 **投げる**
下1他

던지다

な
こっちに ボールを 投げてください。
이쪽으로 공을 던져 주세요.

かわ　な
川に ゴミを 投げては いけません。
강에다 쓰레기를 버리면 안 됩니다.

投[とう] 던질 투 **投球(とうきゅう)** 투구

동사 23

이동, 운반에 관한 말

117 送(おく)る

N4 □□ 5他

보내다 ↔ 迎(むか)える

来月(らいげつ)までに 荷物(にもつ)を 送(おく)ってください。

다음달까지 짐을 보내 주세요.

彼(かれ)は いつも 家(いえ)の前(まえ)まで 送(おく)ってくれた。

그는 항상 집 앞까지 바래다 주었다.

送[そう] 보낼 송 放送(ほうそう) 방송

118 届(とど)ける

N4 □□ 下1他

보내주다 ＊자동사는 届(とど)く

これを 佐藤(さとう)さんに 届(とど)けてください。

이것을 사토 씨에게 전해 주십시오.

今朝(けさ) 届(とど)けられた 手紙(てがみ)です。

오늘 아침에 배달된 편지입니다.

届 이를 계 ＊훈독으로 쓴다. 届先(とどけさき) 보낼 곳

119 運(はこ)ぶ

N4 □□

5他

옮기다

ここの 本(ほん)を 隣(となり)の 部屋(へや)に 運(はこ)ぼう。

여기 있는 책을 옆방으로 옮기자.

田中先生(たなかせんせい)も 足(あし)を 運(はこ)ぶ ことに なった。

다나카 선생님도 (몸소) 가시게 되었다.

運[うん] 옮길 운 海運(かいうん) 해운

120 つつ
N4 **包む**
□
□ 5他

(감)싸다

この本(ほん)も 包(つつ)んでください。
이 책도 싸 주세요.

お花(はな)に 包(つつ)まれた 夢(ゆめ)を 見(み)ました。
꽃에 둘러싸인 꿈을 꾸었습니다.

包[ほう] 꾸러미 포　包帯(ほうたい) 붕대

121 むか
N4 **迎える**
□
□ 下1他

맞이하다

主人(しゅじん)は 子供(こども)を 迎(むか)えに 行(い)きました。
남편은 아이들을 마중하러 갔습니다.

お正月(しょうがつ)を 迎(むか)えて、何(なに)を していますか。
정월을 맞이하여 무엇을 하고 계신가요?

迎[げい] 맞을 영　歓迎会(かんげいかい) 환영회

동사 24 외출, 왕래에 관한 말 2

122 N4
出(で)かける
下1自

외출하다

父(ちち)は 出(で)かけております。
아버지는 외출하셨습니다.

出(で)かけた 人(ひと)が 戻(もど)ってこない。
나간 사람이 돌아오지 않고 있다.

外出(がいしゅつ)する 외출하다

123 N4
逃(に)げる
下1自

도망가다 * 타동사는 逃(のが)す

犯人(はんにん)に 逃(に)げられました。
범인이 도망갔습니다. (수동문)

現実(げんじつ)から 逃(に)げたいと 思(おも)ったことがある。
현실로부터 도망가고 싶었던 적이 있다.

逃[とう] 달아날 도 逃走(とうそう) 도주

124 N4
戻(もど)る
5自

되돌아오다, 되돌아가다

席(せき)に 戻(もど)ってください。
제자리로 돌아가 주십시오.

韓国(かんこく)に 戻(もど)ってきました。
한국으로 돌아왔습니다. (원래 있던 곳이 한국)

戻 어그러질 려 * 일본에서 만든 한자

1-24▶

125 とお
N4 **通る**
□
□ 5自

통하다

会社(かいしゃ)までは 六(むっ)つの 駅(えき)を 通(とお)る。
회사까지는 여섯 개의 역을 통과한다.

通(とお)り道(みち)
지나가는 길

通[つう] 통할 통　通過(つうか) 통과

126 かよ
N4 **通う**
□
□ 5自

다니다

喜子(よしこ)ちゃんは 小学校(しょうがっこう)に 通(かよ)っています。
요시코는 초등학교에 다니고 있습니다.

会社(かいしゃ)へは バスで 通(かよ)っています。
회사는 버스로 다니고 있습니다.

通[つう] 통할 통　通勤 (つうきん) 통근

동사 25 **심다, 키우다에 관한 말**

127
N4 植える(う)
下1他

심다

山(やま)に 木(き)を たくさん 植(う)えましょう。
산에 나무를 많이 심읍시다.

この木(き)が 植(う)えられてから10年(じゅうねん) たった。
이 나무가 심어진 지 10년이 지났다.

植[しょく] 심을 식　植樹(しょくじゅ) 식수

128
N4 育てる(そだ)
下1他

키우다

15年間(じゅうごねんかん) この子(こ)を 育(そだ)ててきました。
15년간 이 아이를 키워왔습니다.

育(そだ)てていただき、ありがとうございます。
키워주셔서 감사드립니다.

育[いく] 기를 육　教育(きょういく) 교육

129
N4 漬ける(つ)
下1他

담그다

キムチの 漬(つ)け方(かた)を 教(おし)えてください。
김치 담그는 방법을 가르쳐 주세요.

漬(つ)け物(もの) ← 漬(つ)ける + 物(もの)
절인 음식 또는 일본식 절인 야채

漬[し] 담글 지　浅漬(あさづけ) 겉절이

130 つ
N4 釣る
□
□ 5他

낚시를 하다

今日(きょう)は 魚(さかな)を たくさん 釣(つ)った。
오늘은 고기를 많이 잡았다.

週末(しゅうまつ)には 釣(つ)りに 行(い)きます。
주말에는 낚시하러 갑니다.

釣[ちょう] 낚시 조 *주로 훈독으로 쓴다.

131 ぬ
N4 塗る
□
□ 5他

칠하다

壁(かべ)に ペンキを 塗(ぬ)り始(はじ)めた。
벽에 페인트를 칠하기 시작했다.

まず、顔(かお)に ファンデーションを 塗(ぬ)ります。
우선, 얼굴에 파운데이션을 바릅니다.

塗[と] 바를 도 塗布(とふ) 도포

동사 26

존재, 진열에 관한 말

132
N5 **ある**
5自

있다 ↔ ない

ソウルの 真ん中(まんなか)に 南山(ナムサン)が ある。
서울 한가운데에 남산이 있다.

あるものは 全部(ぜんぶ) 持(も)って 行(い)きます。
갖고 있는 것 전부 가져갈게요.

존재는 **存る**, 소유는 **有る**로 표기하기도 한다.

133
N5 **いる**
上1自

있다 ↔ いない

ずっと 会社(かいしゃ)に いました。
줄곧 회사에 있었어요.

父(ちち)は 新聞(しんぶん)を 読(よ)んでいます。
아버지는 신문을 읽고 있습니다.

居[きょ] 살 거 **居住地**(きょじゅうち) 거주지

ある와 いる

'있다'는 표현은 사물은 **ある**, 사람이나 생물은 **いる**로 구분해서 쓴다. 또, 존재나 소유와는 상관없이 어느 날(**ある日**), 어떤 사람(**ある人**)과 같이 막연한 것을 지칭할 때는 **ある**를 쓴다.

시험에 잘 나오는 ある와 いる의 구별법(존재)

사물 → **ある** 있다 / **ない** 없다
사람, 생물 → **いる** 있다 / **いない** 없다

134 お
N5 置く
□
□ 5自

두다 ＊주로 ～ておく(~해두다)로 쓴다

テーブルの 上(うえ)に ノートが 置(お)いてある。
테이블 위에 노트가 놓여 있다.

宿題(しゅくだい)は 三日前(みっかまえ)に しておいた。
숙제는 3일 전에 해놨다.

置[ち] 둘 치 位置(いち) 위치

135 なら
N4 並ぶ
□
□ 5自

늘어서다 ＊타동사는 並(なら)べる

2列(にれつ)に 並(なら)んでください。
두 줄로 줄을 서 주세요.

彼女(かのじょ)に 並(なら)ぶ 者(もの)は いない。
그녀에게 견줄 사람은 없다. (관용어)

並[へい] 나란히 설 병 並立(へいりつ) 병립

동사 27 생사에 관한 말

136 生(う)まれる

N5

下1自

태어나다 ↔ 死(し)ぬ

今日(きょう)、二人目(ふたりめ)の 子供(こども)が 生(う)まれた。

오늘 둘째 아이가 태어났다.

インターネットから 生(う)まれた 新(あたら)しい 文化(ぶんか)。

인터넷에서 비롯된 새로운 문화

生[せい・しょう] 날 생　生活(せいかつ) 생활

137 生(い)きる

N4

上1自

살다(생존)

人間(にんげん)は 生(い)きる ために 食(た)べる。

사람은 살기 위해서 먹는다.

そんな 生(い)き方(かた)も ある。

그런 삶(의 방식)도 있다. (노래가사)

生[せい・しょう] 날 생　生産(せいさん) 생산

138 住(す)む

N5

5自

살다(주거)

私(わたし)は 今(いま)、ソウルに 住(す)んでいます。

저는 지금 서울에서 살고 있습니다.

ここは 住(す)みやすい 町(まち)です。

이곳은 살기좋은 고장입니다.

住[じゅう] 주거할 주　住宅(じゅうたく) 주택

139 N5 □□

死(し)ぬ

5自

죽다 ↔ 生(い)きる

人間(にんげん)は いつか 死(し)ぬ ものだ。
인간은 언젠가는 죽게 마련이다.

5才(ごさい)の時(とき)、母(はは)に 死(し)なれました。
다섯 살 때에 어머니가 돌아가셨어요.

死[し] 죽을 사 死活(しかつ) 사활

140 N4 □□

亡(な)くなる

5自

돌아가시다

お父(とう)さんは 去年(きょねん) 亡(な)くなりました。
아버지는 작년에 돌아가셨습니다.

亡[ぼう] 망할 망 死亡(しぼう) 사망

141 N4 □□

なくなる

5自

없어지다

お金(かね)も お米(こめ)も 全部(ぜんぶ) なくなった。
돈도 쌀도 모두 떨어졌다.

いなくなる 있던 사람이 없어지다, 사라지다

142 N4 □□

なくす

5他

잃어버리다, 없애다

財布(さいふ)を なくして、家(いえ)まで 歩(ある)いて行(い)った。
지갑을 잃어버려서 집까지 걸어갔다.

동사 28 모이다, 돌다에 관한 말

143 N4
集まる（あつまる）
5自

모이다

今夜(こんや)、私(わたし)の家(いえ)に 集(あつ)まる ことに した。
오늘 저녁에 우리집에서 모이기로 했다.

皆(みんな)が 集(あつ)まったら、始(はじ)めよう。
모두 모이면 시작하자.

集[しゅう] 모일 집　收集(しゅうしゅう) 수집

144 N4
集める（あつめる）
下1他

모으다

学生(がくせい)たちを 集(あつ)めてください。
학생들을 모아 주세요.

注目(ちゅうもく)を 集(あつ)める。
주목을 모으다(주목을 받다).

集[しゅう] 모일 집　集团(しゅうだん) 집단

145 N3
そろう
5自

한자리에 모이다

皆(みんな) そろいましたね。
모두 모였죠?

すべての 条件(じょうけん)が そろっている。
모든 조건이 갖추어져 있다.

そろう는 '일정 조건 하의 집합'이란 뜻이다.

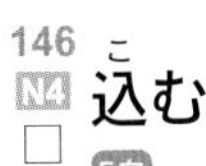
146 N4 込(こ)む

5自

혼잡하다

公園(こうえん)は 人(ひと)で 込(こ)んでいました。
공원은 사람들로 붐비고 있었습니다.

考(かんが)え込(こ)む。(동사 ます형+込(こ)む 깊이 ~하다)
생각에 빠지다.

込(こ)む 일본한자 ＊훈독으로만 쓴다.

147 N4 回(まわ)る

5他

돌다

湖(みずうみ)を 回(まわ)りながら、散歩(さんぽ)しました。
호수를 돌며서 산보했습니다.

月末(げつまつ)には 目(め)が 回(まわ)る ほど 忙(いそが)しい。
월말에는 눈이 돌아갈 정도로 바쁘다.

回[かい] 돌 회 回数券(かいすうけん) 회수권

148 N5 曲(ま)がる
5自

구부러지다 ＊타동사는 曲(ま)げる

曲(ま)がっている 道(みち)。
굽은 길.

右(みぎ)に 曲(ま)がれば、美術館(びじゅつかん)に 出(で)ます。
오른쪽으로 돌아가면 미술관이 나옵니다.

曲[きょく] 굽을 곡 曲線(きょくせん) 곡선

동사 29 시작과 끝에 관한 말

149 N5 始(はじ)まる

5自

시작되다

いよいよ ゲームが 始(はじ)まりました。
드디어 게임이 시작되었습니다. (스포츠중계)

また、始(はじ)まりましたね。
또 시작이군요.

始[し] 시작할 시 開始(かいし) 개시

150 N4 始(はじ)める

下1他

시작하다

さあ、始(はじ)めましょうか。
자아, 시작해 볼까요?

今(いま)始(はじ)めた ばかりです。
지금 막 시작했습니다.

終始一貫(しゅうしいっかん) 시종일관

151 N5 終(お)わる

5自

끝나다

戦争(せんそう)は まだ 終(お)わっていない。
전쟁은 아직 끝나지 않았다.

もう 終(お)わりだね。
이젠 끝이구나. (노래가사 중에서)

終[しゅう] 끝마칠 종 終末(しゅうまつ) 종말

152
N3 **終(お)える**
下1他

끝내다, 마치다

お陰様(かげさま)で 無事(ぶじ)に 終(お)えることができました。
덕분에 무사히 끝났습니다. (끝낼 수 있었습니다.)

そろそろ 終(お)える 時間(じかん)です。
슬슬 마칠 시간입니다.

終[しゅう] 끝마칠 종　終決(しゅうけつ) 종결

153
N4 **しまう**
5自

끝나다

これで おしまい。
이걸로 끝!

つい 本当(ほんとう)のことを 言(い)ってしまった。
나도 모르게 그만 사실을 말해 버렸다.

주로 ~てしまう(~해 버리다)로 많이 쓴다.

154
N3 **済(す)む**

(일이) 끝나다, 해결되다

お掃除(そうじ)も ようやく 済(す)みました。
청소도 드디어 끝났습니다.

お金(かね)で 済(す)む 問題(もんだい)ではありません。
돈으로 해결될 일이 아닙니다.

済[さい] 건널 제　経済(けいざい) 경제

동사 30 시간에 관한 말

155 いそ
N4 **急ぐ**
5自他

서두르다

これは 急いで 書いたものです。
이건 급하게 적은 것입니다.

佐藤さんは 帰りを 急いでいる。
사토 씨는 귀가를 서두르고 있다.

急[きゅう] 급할 급 救急車(きゅうきゅうしゃ) 구급차

156 おく
N4 **遅れる**
下1自

늦다

遅れて すみません。
늦어서 죄송합니다.

会社に 30分も 遅れた。
회사에 30분이나 지각했다.

遅[ち] 더딜 지 遅延(ちえん) 지연

157 す
N4 **過ぎる**
上1自

지나(가)다

もう 過ぎた ことです。
이미 지난 일입니다.

もう 5時が 過ぎました。
이미 5시가 넘었습니다.

過[か] 지날 과 過去(かこ) 과거

158 N4

間(ま)に合(あ)う

5自

시간에 맞추다

汽車(きしゃ)の 時間(じかん)に 間(ま)に 合(あ)った。

기차시간에 맞췄다.

今(いま)からなら 十分(じゅうぶん) 間(ま)に 合(あ)う。

지금부터라면 시간은 충분하다.

間[かん・けん] 사이 간 **間接**(かんせつ) 간접

동사 31

지속, 중단에 관한 말

159 N4

と
止まる
□ □ 5自

멈추다

わら　　と　　たいへん
笑いが 止まらなくて、大変でした。
웃음이 멈추지 않아서 곤란했습니다.

きしゃ　と　　はし　つづ
汽車は 止まる ことなく、走り続けた。
기차는 멈추지 않고 계속 달렸다.

止 멈출 지 停止(ていし) 정지

160 N4

と
止める
□ □ 下1他

세우다, 멈추게 하다

と
バスを 止める ことが できなかった。
버스를 세울 수 없었다.

くるま　と
ここに 車を 止めても いいですか。
여기에 차 세워도 됩니까?

痛み止め(いたみどめ) 痛み(아픔)+とめ(멈춤)→진통제

161 N4

や
止む
□ □ 5自

그치다

あめ　や
雨が 止んだ。
비가 그쳤다.

おや　はんたい　や　え　わか
親の 反対から 止むを得ず 別れた。
부모의 반대 때문에 어쩔 수 없이 헤어졌다.

止[し] 멈출 지 禁止(きんし) 금지

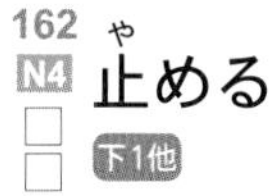

162 止(や)める

N4 下1他

그만두다

たばこを 止(や)める ことに しました。
담배를 끊기로 했어요.

止(や)めてください。
하지 마세요.

止(と)める로 읽으면 '멈추다, 말리다'란 뜻.

163 続(つづ)く

N4 5自

계속되다

いったい どこまで 続(つづ)くんだろう。
도대체 어디까지 계속되는 걸까?

飛行機事故(ひこうきじこ)が 続(つづ)いている。
비행기사고가 계속되고 있다.

続[ぞく] 이을 속　継続(けいぞく) 계속

164 続(つづ)ける

N4 下1他

계속하다

このまま 続(つづ)けてください。
이대로 계속해 주세요.

もう これ以上(いじょう) 続(つづ)けられない。
더 이상 계속하지 못하겠다.

続[ぞく] 이을 속　連続(れんぞく) 연속

동사 32 필요, 충분에 관한 말

165 N5
要る(いる) 5自

필요하다

お金(かね)は あまり 要(い)りません。
돈은 별로 필요없어요.

返事(へんじ)は 要(い)らない。
대답할 필요없어.

要[よう] 구할 요 必要(ひつよう) 필요

166 N4
足す(たす) 5他

보태다 ↔ 引(ひ)く

1(いち)に 2(に)を 足(た)すと、3(さん)に なります。
1에 2를 더하면 3이 됩니다.

足(た)し算(ざん) ↔ 引(ひ)き算(ざん)
덧셈 ↔ 뺄셈

足[そく] 발 족 不足(ふそく) 부족

167 N4
足りる(たりる) 上1自

충분하다, 족하다

1万円(いちまんえん)で 足(た)りるでしょうか。
만엔이면 될까요? (충분할까요)

足(た)りないものは 話(はな)してください。
부족한 것은 말씀해 주십시오.

足(た)りない = 不足(ふそく)する 부족하다

168

N4 **手伝(てつだ)う**
5他

돕다(거들다)

弟(おとうと)の 宿題(しゅくだい)を 手伝(てつだ)ってあげました。
동생 숙제를 도와주었습니다.

主人(しゅじん)に 手伝(てつだ)ってもらいました。
남편이 도와주었습니다.

手[しゅ] 손 수　握手(あくしゅ) 악수

169
N3 **助(たす)ける**
下1他

도와주다(구조)

助(たす)けて!
살려 줘!

おかしら、どうか私(わたし)を 助(たす)けてください。
두목님, 제발 저를 살려주세요. (동화에서)

助[じょ] 도울 조　援助(えんじょ) 원조

170
N2 **構(かま)う**
5自

관여(상관)하다

行(い)っても 構(かま)いません。
가도 좋습니다.

見(み)ても 構(かま)わないものです。
봐도 괜찮은 것입니다.

構[こう] 얽을 구　構成(こうせい) 구성

동사 33 파손, 정리에 관한 말

171 N4
壊(こわ)す

5他

부수다

電話機(でんわき)を 壊(こわ)してしまった。
전화기가 고장났다.

壊(こわ)さないよう、気(き)を つけてください。
파손되지 않도록 조심해 주세요.

壊[かい] 무너뜨릴 괴 **破壊(はかい)** 파괴

172 N4
壊(こわ)れる
下1自

부서지다

作品(さくひん)が 壊(こわ)れないよう、気(き)を つけましょう。
작품에 손상이 가지 않도록 조심합시다.

壊(こわ)れた夢(ゆめ)。
깨어진 꿈.

壊[かい] 무너뜨릴 괴 **崩壊(ほうかい)** 붕괴

173 N4
倒(たお)れる
下1自

쓰러지다

会社(かいしゃ)が 倒(たお)れる。
회사가 넘어지다. (부도, 파산)

お父(とう)さんが とつぜん 倒(たお)れた。
아버지가 갑자기 쓰러지셨다.

倒[とう] 넘어질 도 **倒産(とうさん)** 도산

174 割れる(わ)

N4 □□ 下1自

깨지다

花瓶(かびん)が 割(わ)れていますよ。

화병이 깨져 있어요.

頭(あたま)が 割(わ)れる ように 痛(いた)い。

머리가 깨질 듯이 아프다.

割[かつ] 나뉠 할 分割(ぶんかつ) 분할

175 建てる(た)

N4 □□ 下1他

세우다(건축)

学校(がっこう)を 建(た)てる ための 計画(けいかく)。

학교를 건립하기 위한 계획.

このビルは 10年前(じゅうねんまえ)に 建(た)てられました。

이 빌딩은 10년 전에 세워졌습니다.

建[けん] 세울 건 建築(けんちく) 건축

176 片付ける(かたづ)

N4 □□ 

정리하다

きれいに 片付(かたづ)けられた 教室(きょうしつ)。

깨끗하게 정리된 교실.

仕事(しごと)を 片付(かたづ)けて、帰(かえ)りました。

일을 정리하고 돌아갔습니다.

片[へん] 조각 편 断片(だんぺん) 단편, 조각

동사 34 자연, 날씨에 관한 말

177 N4 **曇る**(くもる) 5自

흐리다

今日(きょう)は 曇(くも)るでしょう。
오늘은 날씨가 흐리겠습니다. (일기예보)

曇(くも)り空(ぞら)が 広(ひろ)がっています。
날씨가 흐려지고 있습니다.

曇[どん] 흐릴 담 **曇天(どんてん)** 운천(구름 낀 날씨)

178 N5 **降る**(ふる) 5自

(눈, 비가)오다, 내리다

ずっと 雪(ゆき)が 降(ふ)るのを 待(ま)っていました。
줄곧 눈이 오기를 기다렸습니다.

雨(あめ)に 降(ふ)られて 風邪(かぜ)を 引(ひ)いてしまった。
비를 맞아서 감기에 걸리고 말았다.

降[こう] 내릴 강 **降雨量(こううりょう)** 강우량

179 N4 **晴れる**(はれる) 下1自

(하늘이)개다

心(こころ)が 晴(は)れる。
마음이 밝아지다. 명랑해지다.

今日(きょう)は 晴(は)れのち雲(くも)りでしょう。
오늘은 맑은 후에 구름이 끼겠습니다. (일기예보)

晴[せい] 맑을 청 **快晴(かいせい)** 쾌청

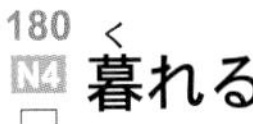

180 N4 暮(く)れる

□
□
下1自

저물다

日(ひ)も 暮(く)れて、外(そと)は 寒(さむ)かった。

해도 지고 밖은 추웠다.

暮(く)れには 皆(みんな) 忙(いそが)しくなる。

연말에는 모두 바빠진다. (暮(く)れ : 연말)

暮[ぼ] 저물 모 **歳暮(せいぼ)** 연말(선물)

181 N5 咲(さ)く

□
□
5自

꽃이 피다

庭(にわ)に バラの花(はな)が 咲(さ)いています。

정원에 장미꽃이 피어 있습니다.

朝(あさ) 咲(さ)いて、夜(よる) 散(ち)る 花(はな)。

아침에 피었다가 저녁에 지는 꽃.

咲 필 소 * 훈독으로 쓰인다.

182 N4 差(さ)す

□
□
5他

받치다, 쓰다

彼(かれ)は そっと 傘(かさ)を 差(さ)してくれた。

그는 살짝 우산을 씌워줬다.

つよい 日差(ひざ)し。

뜨거운 햇볕.

差[さ] 어긋날 차 **差別(さべつ)** 차별

동사 35 상태, 변화에 관한 말

183
N4
冷(ひ)える
下1自

차가워지다

私(わたし)は 手(て)が よく 冷(ひ)えます。
저는 손이 자주 차가워집니다.

ビールは 冷(ひ)えたものが おいしい。
맥주는 차가운 것이 맛있다.

冷[れい] 차가울 냉 冷蔵庫(れいぞうこ) 냉장고

184
N4
増(ふ)える
下1自

늘어나다 ↔ 減(へ)る

夕(ゆう)べの 雨(あめ)で 川(かわ)の水(みず)が 増(ふ)えました。
어젯밤 비로 강물이 불어났습니다.

体重(たいじゅう)が 3(さん)キロ 増(ふ)えた。
체중이 3킬로그램 늘어났다.

増[ぞう] 더할 증 増加(ぞうか) 증가

185
N4
太(ふと)る
5自

살찌다 ↔ 痩(や)せる 형용사는 太(ふと)い (두껍다)

太(ふと)らないように 気(き)を 使(つか)っています。
살이 찌지 않도록 신경쓰고 있습니다.

丸々太(まるまるふと)った 赤(あか)ちゃん。
통통하게 살찐 아기.

太[たい] 클 태 太平洋(たいへいよう) 태평양

186
N4 **ぬれる**
□
□
下1自

젖다　＊타동사는 ぬらす(적시다)

雨(あめ)に ぬれて、風邪(かぜ)を 引(ひ)いた。
비에 젖어서 감기가 들었다.

ぬれた 服(ふく)は 着替(きが)えました。
젖은 옷은 갈아입었습니다.

한자는 **濡れる**(**濡** 적실 유)로 표기하기도 한다.

187
N4 **乾(かわ)く**
□
□

목이 마르다

喉(のど)が 乾(かわ)いてきた。
목이 마르기 시작했다.

皆(みんな)音楽(おんがく)に 乾(かわ)いている人(ひと)ばかりです。
모두 음악에 목말라하는 사람들뿐입니다.

乾[かん] 마를 건　**乾燥**(かんそう) 건조

188
N4 **慣(な)れる**
□
□
下1自

익숙해지다

新(あたら)しい 仕事(しごと)に やっと 慣(な)れました。
새로운 일에 겨우 익숙해졌습니다.

使(つか)い慣(な)れた コンピューター。
자주 사용해서 길든 컴퓨터.

慣[かん] 익숙할 관　**習慣**(しゅうかん) 습관

동사 36 접촉, 상태에 관한 말

189 N4 □ □

似(に)る

上1自

닮다 * 조사「に」를 동반

私(わたし)は 母(はは)に 似(に)ています。

저는 어머니를 닮았습니다.

似(に)ても 似(に)つかない。

전혀 닮지 않다. (관용구)

似[じ] 같을 사 **類似(るいじ)** 유사

190 N4 □ □

触(さわ)る

5自

닿다

ここの 作品(さくひん)は 触(さわ)っても 構(かま)いません。

이곳의 작품은 만져도 괜찮습니다.

自由(じゆう)に 触(さわ)ってみてください。

자유롭게 만져보세요.

触[しょく] 닿을 촉 **感触(かんしょく)** 감촉

191 N4 □ □

揺(ゆ)れる

下1自

흔들리다

彼女(かのじょ)に 会(あ)った 時(とき)、心(こころ)が 揺(ゆ)れました。

그녀를 만난 순간 마음이 흔들렸습니다.

風(かぜ)で ドアが 揺(ゆ)れている。

바람에 문이 흔들리고 있다.

揺[よう] 흔들릴 요 **動揺(どうよう)** 동요

192 よご
N4 **汚れる**
□
□ 下1自

더러워지다

しょるい　よご
書類が 汚れてしまった。
서류가 더러워졌다.

よご　こころ
汚れた 心。
더러워진 마음.

汚[お] 더러울 오　汚染(おせん) 오염

동사 37 방문에 관한 말

193 N4
訪(たず)ねる
下1他

방문하다 = 訪(おとず)れる

明日(あした) 先生(せんせい)を 訪(たず)ねる ことに した。
내일 선생님을 방문하기로 했다.

お訪(たず)ねしても よろしいですか。
방문해도 되겠습니까?

訪[ほう] 물을 방 訪問(ほうもん) 방문

194 N2
尋(たず)ねる
下1他

묻다 = 聞(き)く · 問(と)う

お巡(まわ)りさんに 道(みち)を 尋(たず)ねてみましょう。
경찰아저씨한테 길을 물어봅시다.

ビートルズを 尋(たず)ねて、旅行(りょこう)しました。
비틀즈의 발자취를 찾아 여행했습니다.

尋[じん] 찾을 심 尋問(じんもん) 심문

195 N4
泊(と)まる
5自

숙박하다 * 타동사는 泊める

今夜(こんや)は ここで 泊(と)まりましょう。
오늘 저녁에는 여기서 묵읍시다.

大(おお)きな 船(ふね)が 港(みなと)に 泊(と)まっている。
커다란 배가 항구에 정박해 있다.

泊[はく] 머무를 박 停泊(ていはく) 정박

196
N4 **連(つ)れる**
□
□

下1自

데리고 가(오)다

子(こ)どもを 連(つ)れて 行(い)っても いいですか。
아이를 데리고 가도 괜찮습니까?

わたしも 連(つ)れて 行(い)ってください。
나도 데려가 주세요.

連[れん] 연결할 연 連結(れんけつ) 연결

197
N4 **寄(よ)る**
□
□

5自

들르다, 다가가다

学校(がっこう)の 帰(かえ)りに 友(とも)だちの 家(いえ)に 寄(よ)った。
학교에서 귀가할 때 친구집에 들렀다.

知(し)らない 人(ひと)が 寄(よ)ってきた。
모르는 사람이 다가왔다.

寄[き] 부칠 기 寄生虫(きせいちゅう) 기생충

동사 38 **노력, 부탁에 관한 말**

198 N4
頑張る(がんばる) 5自

참고 노력하다

頑張ってね。(がんばってね。)
힘내세요.

頑張れば、きっと できるでしょう。(がんばれば、きっと できるでしょう。)
열심히 하면 반드시 이루어질 것입니다.

頑[がん] 완고할 완 頑古(がんこ) 완고

199 N4
頼む(たのむ) 5他

부탁하다

山田さんに 頼みたいことが あります。(やまださんに たのみたいことが あります。)
야마다 씨에게 부탁하고 싶은 것이 있습니다.

昨日 頼まれた ことは 後で 話します。(きのう たのまれた ことは あとで はなします。)
어제 부탁받은 것은 나중에 말씀드리죠.

頼[らい] 의뢰할 뢰 依頼(いらい) 의뢰

200 N4
祈る(いのる) 5他

빌다

あなたの 成功を 祈ります。(あなたの せいこうを いのります。)
당신의 성공을 빕니다.

祈るような 気持ちで 見守っています。(いのるような きもちで みまもっています。)
기도하는 심정으로 지켜보고 있어요.

祈[き] 빌 기 祈願(きがん) 기원

201 N4
違(ちが)う
□
□
5自

다르다 ↔ 同(おな)じだ

彼(かれ)と 私(わたし)は 意見(いけん)が 違(ちが)います。
그와 저는 의견이 다릅니다.

それは 違(ちが)います。
그건 아닙니다.

違[い] 어길 위 違反(いはん) 위반

202 N4
間違(まちが)える
□
□
下1他

틀리다 ＊자동사는 間違(まちが)う

時間(じかん)を 間違(まちが)えて、遅(おく)れてしまった。
시간을 잘못 알아서 늦었다.

どろぼうに 間違(まちが)えられた。
도둑으로 몰렸다.

間[かん] 사이 간 違[い] 어길 위

동사 39 **취하다에 관한 말**

203 N4

取(と)る

5他

잡다, 취하다

その ボールを 取(と)ってください。

그 공을 집어주세요.

手(て)に 取(と)った ものを 離(はな)さない。

손에 쥔 것을 놓지 않는다.

取[しゅ] 취할 취 **取材(しゅざい)** 취재

204 N5

撮(と)る

5他

사진을 찍다

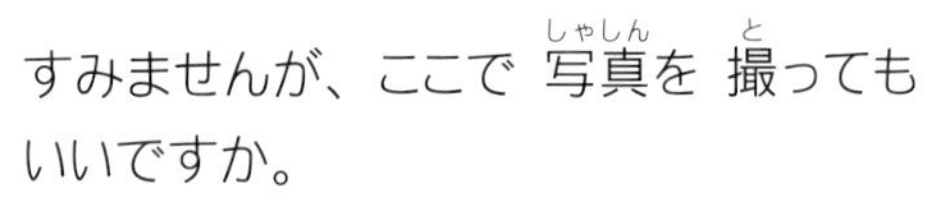

すみませんが、ここで 写真(しゃしん)を 撮(と)っても いいですか。

죄송하지만 여기서 사진을 찍어도 될까요?

撮影禁止(さつえいきんし)。 촬영금지.

撮[さつ] 찍을 촬 **撮影(さつえい)** 촬영

205 N4

拾(ひろ)う

5他

줍다 ↔ 捨(す)てる

道(みち)で 財布(さいふ)を 拾(ひろ)いました。

길에서 지갑을 주웠습니다.

タクシーを 拾(ひろ)ってください。

택시를 잡아 주세요. (관용구)

拾[しゅう] 주울 습 **拾得(しゅうとく)** 습득

206 N4 **捨(す)てる** 下1他

버리다

ごみは 絶対(ぜったい)に 捨(す)てないでください。
쓰레기는 절대로 버리지 마십시오.

ポイ捨(す)て禁止(きんし)。
무단투기 금지.

捨[しゃ] 버릴 사 取捨選択(しゅしゃせんたく) 취사선택

207 N4 **写(うつ)す** 5他

베끼다 ＊자동사는 写(うつ)る

彼女(かのじょ)のノートを 写(うつ)した。
그녀의 노트를 베꼈다.

大事(だいじ)な 書類(しょるい)は 必(かなら)ず 写(うつ)しを 取(と)ります。
중요한 서류는 반드시 사본을 떠둡니다.

写[しゃ] 베낄 사 写真(しゃしん) 사진

208 N3 **写(うつ)る** 5自

찍히다

この カメラは よく 写(うつ)ります。
이 카메라는 사진이 잘 찍힙니다.

鏡(かがみ)に 写(うつ)った 自分(じぶん)の顔(かお)。
거울에 비친 내 얼굴.

写[しゃ] 베낄 사 描写(びょうしゃ) 묘사

동사 40 고치다에 관한 말

209 なお
N4 **直す**
□
□ 5他

고치다

ここも 正(ただ)しく 直(なお)してみましょう。
여기도 바르게 고쳐봅시다.

日本語(にほんご)を 韓国語(かんこくご)に 直(なお)しました。
일본어를 한국어로 고쳤습니다.

直[ちょく] 바로 직 **直線(ちょくせん)** 직선

210 なお
N4 **直る**
□
□ 5自

고쳐지다

コンピューターは 直(なお)りましたか。
컴퓨터는 고쳐졌습니까?

きげんが 直(なお)る。
기분이 좋아지다.

直[ちょく] 바로 직 **率直(そっちょく)** 솔직

211 なお
N4 **治す**
□
□ 5他

(병을) 고치다

この病気(びょうき)は 漢方薬(かんぽうやく)で 治(なお)した 方(ほう)がいい。
이 병은 한방약으로 고치는 편이 낫다.

病気(びょうき)を 治(なお)す。
병을 고치다.

治[じ・ち] 다스릴 치, 물 이름 지 **政治(せいじ)** 정치

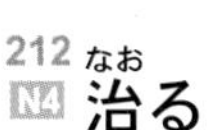

212 なお
N4 **治る**
□
□ 5自

(병이) 낫다

風邪(かぜ)も すっかり 治(なお)りました。
감기도 다(말끔히) 나았습니다.

風邪(かぜ)を ひいたが、なかなか 治(なお)らない。
감기에 걸렸는데, 좀체 낫질 않는다.

治[じ・ち] 다스릴 치, 물 이름 지　治療(ちりょう) 치료

213 う
N4 **打つ**
□
□ 5他

치다

胸(むね)を 打(う)つ(=心(こころ)を 打(う)つ)。
깊은 감동을 주다.

山口選手(やまぐちせんしゅ)、はーい、打(う)ちました!
야마구치 선수, 네, 쳤습니다! (야구중계)

打[だ] 칠 타　安打(あんだ) 안타(야구)

감정표현에 관한 말

214 N4 **怒(おこ)る**
□ □ 

화내다 ↔ 喜(よろこ)ぶ

うるさいと、怒(おこ)られてしまった。
시끄럽다고 꾸중을 들었다.

先生(せんせい)に 怒(おこ)られても 仕方(しかた)ない。
선생님이 화를 내셔도 어쩔 수 없다.

怒[ど] 성낼 노　怒気(どき) 노기(화난 마음)

215 N4 **叱(しか)る**
□ □ 5他

꾸짖다 ↔ 誉(ほ)める

父(ちち)に 叱(しか)られて 泣(な)いている。
아버지에게 혼나서 울고 있다. (수동형)

叱(しか)るばかりではなく、時々(ときどき) ほめてください。
혼내지만 말고 가끔씩은 칭찬해 주세요.

叱[しつ] 꾸짖을 질　叱咤(しった) 질타

216 N4 **誉(ほ)める**
□ □ 下1他

칭찬하다

子供(こども)は たくさん 誉(ほ)めてあげた方(ほう)がいい。
애들은 많이 칭찬해 주는 것이 좋다.

大人(おとな)も 誉(ほ)められると 嬉(うれ)しいものだ。
어른도 칭찬을 받으면 기쁜 법이다.

誉[よ] 기릴 예　名誉(めいよ) 명예

217 あやま
N4 **謝る**

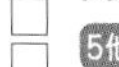

사과하다

彼(かれ)に 謝(あやま)りの 手紙(てがみ)を 出(だ)しました。
그에게 사과편지를 보냈습니다.

ちゃんと 謝(あやま)りなさい。
정중히 사과해라.

謝[しゃ] 사례할 사 **謝罪(しゃざい)** 사죄

218 こま

困る

곤란하다

新宿(しんじゅく)では 道(みち)に 迷(まよ)って 困(こま)りました。
신주쿠에서는 길을 잃어서 고생했습니다.

なにか 困(こま)った ことでも ありますか。
무슨 곤란한 일이라도 있어요?

困[こん] 어려울 곤, 곤할 곤 **困難(こんなん)** 곤란

困るに 대해

困る에는 '곤란하다'는 뜻 외에도 '(입장이)난처하다, '(경제적으로)어렵다' '어려움을 겪고 있다'는 뉘앙스가 들어있다.

- 困るな…。 곤란한데….
- 困ったな~。 어떡하지. 난처하군….
- 日照(ひで)り続(つづ)きで困っている。 가뭄이 계속되어 곤란을 겪고 있다.

* 日照(ひで)り続(つづ)き : 가뭄

동사 42 감정표현에 관한 말

219 N4
おどろ
驚く
□
□
5自

놀라다 * 타동사는 驚(おどろ)かす

くるま おと おどろ
車の 音に 驚いた。
자동차 소리에 놀랐다.

おお こえ こども おどろ
大きな 声で 子供を 驚かせた。
큰소리로 어린아이를 놀래켰다.

驚[きょう] 놀랄 경 驚異(きょうい) 경이

220 N4
よろこ
喜ぶ
□
□
5自

기뻐하다

ちち よろこ
父も きっと 喜ぶでしょう。
아버지도 분명 기뻐하실 거예요.

みな よろこ
皆さんに 喜んでもらえる ニュース。
여러분이 기뻐하실 뉴스.

喜[き] 기쁠 희 喜怒哀楽(きどあいらく) 희노애락

221 N4
わら
笑う
□
□
5自

웃다

わら とき いちばん
あなたは 笑う 時が 一番 きれいです。
당신은 웃을 때가 가장 아름답습니다.

ひと わら
人に 笑われる ことは したくない。
사람들에게 웃음거리가 되는 일은 하고 싶지 않다.

笑[しょう] 웃을 소 微笑(びしょう) 미소

222 さわ
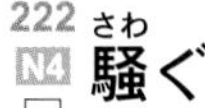
騒ぐ
□
□ 5自

떠들다

彼(かれ)は 酒(さけ)を 飲(の)んで 騒(さわ)ぎました。
그는 술을 마시고 소란을 피웠습니다.

彼女(かのじょ)を 見(み)ると、胸(むね)が 騒(さわ)ぐ。
그녀를 보면 가슴이 뛴다. (관용표현)

騒[そう] 시끄러울 소 **騒音(そうおん)** 소음

223 な
N4
泣く
□
□ 5自

울다

赤(あか)ちゃんが 大(おお)きな 声(こえ)で 泣(な)きました。
애기가 큰 소리로 울었습니다.

泣(な)いている 子(こ)ども。
울고 있는 아기.

泣[きゅう] 울 읍 ＊주로 훈독으로 쓴다.

224 な
N4
鳴く
□
□ 5自

(새나 벌레 등이) 소리를 내다, 울다

うぐいすの 鳴(な)き声(ごえ)が 一番(いちばん) 好(す)きです。
휘파람새의 지저귀는 소리를 가장 좋아합니다.

泣(な)く와 **鳴(な)く** … **泣(な)く**는 인간이 우는 것, **鳴(な)く**는 동물이 우는 것.

鳴[めい] 울 명 **悲鳴(ひめい)** 비명

동사 43 되다, 걸다에 관한 말

225 N4 なる

5自

되다

大(おお)きくなったら、何(なに)に なりたいの。

크면 뭐가 되고 싶니?

警察官(けいさつかん)に なりたいです。

경찰관이 되고 싶습니다.

~に なる ~가 되다

226 N4 できる

上1自

할 수 있다, 할 줄 알다

私(わたし)は 中国語(ちゅうごくご)と 英語(えいご)が できます。

나는 중국어와 영어를 할 줄 압니다.

加藤(かとう)さんは 料理(りょうり)の できる 人(ひと)だ。

가토 씨는 요리를 잘 하는 사람이다

出来(でき)る와 같이 표기하기도 한다

227 N5 かかる

5自

걸리다, 달리다 * 타동사는 かける

かべに かかっている 時計(とけい)。

벽에 걸려있는 시계.

子供(こども)は 親(おや)の 教育(きょういく)に かかっている。

아이들은 부모의 교육에 달려 있다.

한자는 掛かる로 표기하기도 한다

228

かける

下1他

걸다, 달다

壁(かべ)に 絵(え)を かける。
벽에 그림을 걸다.

窓(まど)に 新(あたら)しい カーテンを かけた。
창문에 새 커튼을 달았다.

かかる의 여러가지 용법

① 鍵(かぎ)が かかっている。 열쇠가 채워져 있다.

② 時間(じかん)が かかる。 시간이 걸리다.

③ この自動車(じどうしゃ)には 保険(ほけん)が かかってい る。
이 자동차는 보험에 들어 있다.

④ 電話(でんわ)が かからない。 전화가 안 걸린다.

⑤ まだ、エンジンが かかっていない。
아직 시동이 걸리지 않았다.

⑥ さあ、かかってこい。 자, 덤벼!

⑦ 手(て)の かかる 仕事(しごと)です。 손이 많이 가는 일입니다.

かける의 여러가지 용법

① 眼鏡(めがね)を かけている。 안경을 쓰고 있다.

② カバーが かけてある。 커버가 씌워져 있다.

③ 電話(でんわ)を かける。 전화를 걸다.

④ 親(おや)に 心配(しんぱい)を かける。 부모님께 걱정을 끼치다.

⑤ 椅子(いす)に 腰(こし)を かける。 의자에 걸터앉다. (←허리를 걸치다)

동사 확인문제

※ (　　)안에 들어갈 적당한 동사를 보기에서 고르시오.(1~58)

① あう	② かえる	③ きく	④ とぶ	⑤ はなす
⑥ まつ	⑦ みる	⑧ よむ	⑨ わかる	⑩ わかれる

1. テレビを（　　　　）。

2. ラジオを（　　　　）。

3. 一目で（　　　　）。

4. 恋人と（　　　　）。

5. 日本語で（　　　　）。

6. 図書館で本を（　　　　）。

7. 公園で友達を（　　　　）。

8. 家に（　　　　）。

9. 鳥が空を（　　　　）。

10. 喫茶店(きっさてん)で友達に（　　　　）。

정답 1. ⑦ 2. ③ 3. ⑨ 4. ⑩ 5. ⑤
6. ⑧ 7. ⑥ 8. ② 9. ④ 10. ①

① あびる	② あらう	③ うたう	④ おどる	⑤ かむ
⑥ すう	⑦ たてる	⑧ のむ	⑨ みがく	⑩ わたる

11. はしを（　　　　）。

12. シャワーを（　　　　）。

13. かおを（　　　　）。

14. 毎日 はを（　　　　）。

15. たばこを（　　　　）。

16. ガムを（　　　　）。

17. 計画を（　　　　）。

18. 歌を（　　　　）。

19. タンゴを（　　　　）。

20. お酒を（　　　　）。

정답 11. ⑩ 12. ① 13. ② 14. ⑨ 15. ⑥
16. ⑤ 17. ⑦ 18. ③ 19. ④ 20. ⑧

동사 **확인문제**

① きる	② くらべる	③ さげる	④ つける
⑤ でる	⑥ のりかえる	⑦ はく	⑧ はる

21. セーターを (　　　　　)。

22. スカートを (　　　　　)。

23. くつしたを (　　　　　)。

24. くつを (　　　　　)。

25. 名前を (　　　　　)。

26. 手紙に切手を (　　　　　)。

27. AとBを (　　　　　)。

28. 記事が新聞に (　　　　　)。

29. ソウル駅で (　　　　　)。

30. ラジオのボリュームを (　　　　　)。

정답 21. ① 22. ⑦ 23. ⑦ 24. ⑦ 25. ④ 26. ⑧ 27. ② 28. ⑤ 29. ⑥ 30. ③

① うえる　② かよう　③ しまる　④ すく　⑤ すむ
⑥ つかまえる　⑦ つとめる　⑧ とおる　⑨ なげる　⑩ ひらく

31. 目を（　　　）。

32. ドアが（　　　）。

33. おなかが（　　　）。

34. A社に（　　　）。

35. 犯人を（　　　）。

36. ボールを（　　　）。

37. 大学に（　　　）。

38. 地下鉄が（　　　）。

39. 木を（　　　）。

40. ソウルに（　　　）。

정답　31. ⑩　32. ③, ⑩　33. ④　34. ⑦　35. ⑥
36. ⑨　37. ②　38. ⑧　39. ①　40. ⑤

동사 **확인문제**

① かわく	② こわれる	③ さく	④ すう	⑤ たおれる
⑥ とまる	⑦ なれる	⑧ はじまる	⑨ ふえる	⑩ ふる

41. ゲームが (　　　　　)。

42. 息を (　　　　　)。

43. ゆめが (　　　　　)。

44. 過労で (　　　　　)。

45. 雨が (　　　　　)。

46. 花が (　　　　　)。

47. 人口が (　　　　　)。

48. のどが (　　　　　)。

49. 新しい生活に (　　　　　)。

50. ホテルに (　　　　　)。

정답 41. ⑧ 42. ④ 43. ② 44. ⑤ 45. ⑩
46. ③ 47. ⑨ 48. ① 49. ⑦ 50. ⑥

동사

① かかる　② かける　③ すてる　④ できる
⑤ とる　⑥ なおす　⑦ ひろう　⑧ なる

51. 写真を（　　　　）。

52. ごみを（　　　　）。

53. タクシーを（　　　　）。

54. 病気を（　　　　）。

55. 英語が（　　　　）。

56. かべに絵を（　　　　）。

57. 時間が（　　　　）。

58. 大きくなって医者に（　　　　）。

정답　51. ⑤　52. ③,⑦　53. ⑦　54. ⑥　55. ④
56. ②　57. ①　58. ⑧

동사 : 확인문제

※ 적당한 동사를 ①, ②번 중에서 고르시오. (59~73)

59. わたしにいい（ ①思い ②考え ）があります

60. 吉田という人を（ ①分かりますか ②知っていますか ）。

61. 先生の（ ①言い ②話し ）ではテストは ないそうだ。

62. みんな自分の席に（ ①帰って ②もどって ）ください。

63. 朝起きて夜（ ①眠る ②寝る ）まで。

64. 最近漢方薬を（ ①食べて ②飲んで ）います。

65. 靴下(くつした)をはく前に ズボンを（ ①着ます ②はきます ）。

66. いくら（ ①さがしても ②いっても ）見つからない。

67. インターネットって実際(じっさい)（ ①して ②やって ③行って ）みたら、そんなにむずかしくなかった。

68. わたしはバベルという出版社に（ ①勤めて ②働いて ）います。

69. 母は台所に（ ①います ②あります ）。

70. ここは交通も便利だし、静かだし、とても（ ①住み ②住き ）やすいところです。

71. 忙しそうだから、ちょっと (①手伝って ②助けて)あげようか。

72. ガラスががちゃんと (①われる ②こわれる ③たおれる)音がしたので、びっくりした。

73. 薬を飲んだらすっかり (①直りました ②治りました)。

정답

59. ②	60. ②	61. ②	62. ②	63. ②
64. ②	65. ②	66. ①	67. ②	68. ①
69. ①	70. ①	71. ①	72. ①	73. ②

동사 **종합문제**

※ 밑줄친 곳에 들어갈 알맞은 말을 고르시오.(1~25)

1. 何日も大学を休んで先生に心配を ________ 。

① 出した　② かけた
③ かぶった　④ おこした

2. さいふをなくしたので、友達にお金を ________ た。

① かっ　② かり
③ かし　④ かえし

3. お忘れ物に気を ________ ください。

① して　② 出して
③ かけて　④ つけて

4. 誕生日に友達からCDを ________。

① もらった　② ゆずった
③ 入れた　④ 引いた

5. あのめがねを ________ いる人はだれですか。

① はいて　② かぶって
③ かけて　④ きて

6. もう朝10時なのに、まだ ________ いない。

① ねて　② 起きて
③ 歩いて　④ 泳いで

동사

7. 父を ________ にバスターミナルに行きました。

① おしえ　　② 取り
③ 迎え　　④ もらい

8. 今日は新しいくつを ________ ました。

① 春　　② かぶり
③ つけ　　④ はき

9. 試験に合格するよう、________ います。

① 折って　　② 祈って
③ 回って　　④ 拾って

10. 手紙に切手を ________ 。

① 切る　　② はる
③ つける　　④ 並べる

11. ここで写真を ________ いいですか。

① 取っても　　② 撮っても
③ 押しても　　④ 消しても

12. 先生によって ________ 方もちがう。

① 習い　　② 教え
③ 学び　　④ 立て

13. 私は冬になると、手足がよく ________ ます。

① ゆれ　② 乾き
③ 太り　④ 冷え

14. 風邪を ________ しまった。

① きいて　② ひいて
③ もらって　④ ふいて

15. 窓が開けて ________ ます。

教室の中に机が ________ ます。

① おり　② い
③ あり　④ 置き

16. カバンの中を ________ けど、カギはありませんでした。

① 開けた　② 調べた
③ 治した　④ 探した

17. お見舞(みまい)いとは病気の人を ________ ことです。

① もどる　② 笑う
③ 訪ねる　④ 見る

18. 母は風邪で薬を ________ います。

① 食べて　② かんで
③ 作って　④ 飲んで

19. 一度始めたら、最後まで ________ しかない。

① 済む　② やる
③ 止める　④ しまう

20. 夕べの火事で何も ________ いない。

① 起って　② 残して
③ 残って　④ 壊れて

21. 彼は韓国のことなら、何でも ________ います。

① 分って　② 開って
③ 開いて　④ 知って

22. 2に3を ________、5になります 。

① 足すと　② 引くと
③ かけると　④ 押すと

23. 相手のチームに負けないよう ________ 。

① しめます　② 逃げます
③ がんばります　④ 割れます

24. 彼の歌に心を ________ ました。

① 打ち　② 打たれ
③ 動き　④ 動かれ

25. 最近たばこを ________ 女性が増えています。

① 飲む　② 食べる
③ もらう　④ 吸う

※ 知る와 分かる 중에서 골라 적합한 동사형을 쓰시오.

26. だれが日本人なのかよく ________ ません。

27. 彼のことをもっと ________ たい。

28. 皆さん、私の話が ________ か。

29. 林さんは中国語が ________ か。

30. A：ロバートという人を ________ か。

B：いいえ、________ 。

정답

1. ②	2. ②	3. ④	4. ①	5. ③
6. ②	7. ③	8. ④	9. ②	10. ②
11. ②	12. ②	13. ④	14. ②	15. ③
16. ②,④	17. ③	18. ④	19. ②	20. ③
21. ④	22. ①	23. ③	24. ②	25. ④

26. 分かり　27. 知り　28. 分かります
29. 分かります　30. 知っています / 知りません

02
형용사

형용사 01 크기, 길이에 관한 말

01 N5

大(おお)きい

□ □

크다

大(おお)きい 会社(かいしゃ)。

큰 회사.

大(おお)きい 家(いえ)に 住(す)んでいる。

큰 집에 살고 있다.

大[たい·だい] 클 대 大切(たいせつ) 소중함

02 N5

小(ちい)さい

□ □

작다

小(ちい)さくて かわいい 猫(ねこ)が 好(す)きです。

작고 귀여운 고양이를 좋아합니다.

字(じ)が 小(ちい)さくて よく 読(よ)めません。

글자가 작아서 잘 못 읽겠어요.

小[しょう] 작을 소 小説(しょうせつ) 소설

03 N5

多(おお)い

□ □

많다

人(ひと)が 多(おお)過(す)ぎて 動(うご)くことも できなかった。

사람이 너무 많아서 움직일 수도 없었다.

多(おお)ければ 多(おお)い ほど いい。

다다익선. 많으면 많을수록 좋다.

多[た] 많을 다 多少(たしょう) 다소

04 N5 少(すく)ない

□
□

적다

自分(じぶん)のために 使(つか)える お金(かね)は 少(すく)ない。
자신을 위해 쓸 수 있는 돈은 적다.

反対(はんたい)の意見(いけん)も 少(すく)なくないと 思(おも)うよ。
반대 의견도 적지 않을거라 생각해요.

少[しょう] 적을 소　少年(しょうねん) 소년

05 N5 長(なが)い

□
□

길다 ↔ 短(みじか)い

子(こ)どもには 長(なが)い 道(みち)です。
아이에게는 먼 길입니다.

長(なが)い間(あいだ) ごぶさたして おります。
오랫동안 연락드리지 못했습니다.

長[ちょう] 길 장　長所(ちょうしょ) 장점

'회사'에 관한 말

- 大手企業(おおてきぎょう)　대기업
- 中小企業(ちゅうしょうきぎょう)　중소기업
- 子会社(こがいしゃ)　자회사
- 協力会社(きょうりょくがいしゃ)　하청업체나 협력업체

'크다, 작다'에 관한 말

- 大(おお)きい / 大(おお)きな　큰 / 커다란
- 小(ちい)さい / 小(ちい)さな　작은 / 자그마한

형용사 02 길이, 무게에 관한 말

06 N5

短(みじか)い

□
□

짧다

爪(つめ)を 短(みじか)く 切(き)りました。

손톱을 짧게 잘랐습니다.

人生(じんせい)は 短(みじか)く、芸術(げいじゅつ)は 長(なが)い。

인생은 짧고 예술은 길다.

短[たん] 짧을 단 短所(たんしょ) 단점

07 N5

重(おも)い

□
□

무겁다

とても 重(おも)くて 運(はこ)ぶ ことが できない。

너무 무거워서 옮길 수가 없다.

彼(かれ)の話(はなし)を 聞(き)いて 気(き)が 重(おも)くなった。

그의 얘기를 듣고 마음이 무거워졌다.

重[じゅう] 무거울 중 体重(たいじゅう) 체중

08 N5

軽(かる)い

□
□

가볍다

このノートパソコンは 軽(かる)くて 使(つか)いやすい。

이 노트북은 가볍고 사용하기 좋다.

あの人(ひと)は 口(くち)が 軽(かる)い。

그 사람은 입이 가볍다.

軽[けい] 가벼울 경 軽視(けいし) 경시(가볍게 보다)

09 N5 **広(ひろ)い**

□
□

넓다

ロシアは 広(ひろ)い 国(くに)です。
러시아는 넓은 나라입니다.

アメリカの 道(みち)は とても 広(ひろ)かったです。
미국의 도로는 매우 넓었습니다.

広[こう] 넓을 광 広告(こうこく) 광고

10 N5 **狭(せま)い**

□
□

좁다

道(みち)が 狭(せま)くて、不便(ふべん)です。
길이 좁아서 불편합니다.

世(よ)の中(なか)は 狭(せま)いですね。
세상은 참 좁군요.

狭[きょう] 좁을 협 狭小(きょうしょう) 협소

11 N5 **高(たか)い**①

□
□

높다 ↔ 低(ひく)い

背(せ)が 高(たか)い。
키가 크다. (관용구)

高(たか)い ビルが あちこち 建(た)てられている。
높은 빌딩들이 여기저기 세워지고 있다.

高[こう] 높을 고 高校生(こうこうせい) 고등학생

형용사 03 가격, 거리감각에 관한 말

12 N5 高(たか)い②

비싸다 ↔ 安(やす)い

値段(ねだん)が 高(たか)い。
값이 비싸다.

少(すこ)し高(たか)くても品質(ひんしつ)のよいものを買(か)う方(ほう)です。
좀 비싸더라도 품질이 좋은 것을 사는 편입니다.

高[こう] 높을 고 高価(こうか) 고가

13 N5 低(ひく)い

낮다

背(せ)が 低(ひく)い。
키가 작다. (관용구)

杉山(すぎやま)さんは 声(こえ)が 低(ひく)い。
스기야마 씨는 목소리가 낮다.

低[てい] 낮을 저 低下(ていか) 저하

14 N5 安(やす)い

싸다

南大門市場(ナムデムンいちば)では 何(なん)でも 安(やす)く 買(か)える。
남대문시장에서는 뭐든지 싸게 살 수 있다.

この服(ふく)は 安(やす)ものです。
이 옷은 싸구려입니다.

安[あん] 편안할 안 安定(あんてい) 안정

15 ちか
N5 **近い**
□
□

가깝다

がっこう いえ ちか
学校から 家までは 近いです。
학교에서 집까지는 가깝습니다.

にほん ちか とお くに い
日本は 近くて 遠い 国と 言われている。
일본은 가깝고도 먼 나라라고 일컬어지고 있다.

近[きん] 가까울 근　近所(きんじょ) 근처

16 とお
N5 **遠い**
□
□

멀다

とお
ソウルから プサンまでは 遠いです。
서울에서 부산까지는 멉니다.

みみ とお
耳が 遠い。
가는 귀가 먹다. (관용구)

遠[えん] 멀 원　望遠鏡(ぼうえんきょう) 망원경

형용사 04 속도, 강약에 관한 말

17 N5
はや
早い

(시간)이르다 ↔ 遅(おそ)い

朝(あさ) 早(はや)く 起(お)きるのが 苦手(にがて)です。
아침 일찍 일어나는 것이 힘듭니다.

会(あ)って 話(はな)した 方(ほう)が 一番(いちばん) 早(はや)いです。
만나서 얘기하는 쪽이 가장 빠릅니다.

早[さっ · そう] 이를 조 早速(さっそく) 즉시

18 N5
はや
速い

(동작)빠르다

速(はや)く 走(はし)れ。
빨리 달려라.

バスより 汽車(きしゃ)の 方(ほう)が 速(はや)い。
버스보다 기차가 빠르다.

速[そく] 빠를 조 速度(そくど) 속도

19 N5
おそ
遅い

늦다

遅(おそ)くなって、すみません。
늦어서 죄송합니다.

あまり遅(おそ)くならないように、気(き)をつけてね。
너무 늦지 않게 조심해라.

遅[ち] 더딜 지 遅延(ちえん) 지연

20 N5 **強い**(つよい)

강하다

鈴木(すずき)さんは うでの力(ちから)が とても 強(つよ)い。
스즈키 씨는 팔 힘이 매우 세다.

気(き)が 強(つよ)い。
기가 세다. (관용구)

強[きょう] 강할 강　勉強(べんきょう) 공부

21 N5 **弱い**(よわい)

약하다

体(からだ)が とても 弱(よわ)くなってしまった。
몸이 매우 쇠약해져 버렸다.

英語(えいご)に 弱(よわ)い。
영어에 약하다. (잘 못한다는 뜻)

弱[じゃく] 약할 약　強弱(きょうじゃく) 강약

형용사 05 상태에 관한 말

22 N5
あたら
新しい

새롭다

あたら がっこう はい
新しい 学校に 入る。
새 학교에 들어가다.

いえ あたら た なお
家を 新しく 建て直した。
집을 새로 지었다. → 개축하다

新[しん] 새로울 신 新聞(しんぶん) 신문

23 N5
ふる
古い

오래되다

ふる かんが かた
古い 考え方。
낡은 사고방식.

きもの ふるす き
この着物は 古過ぎて 着れない。
이 옷은 너무 낡아서 입을 수 없다.

古[こ] 옛 고 古典(こてん) 고전

24 N4
わか
若い

젊다 * 若者(젊은이)는 わかもの라고 읽는다.

わか み
まだ 若く 見えます。
아직 젊어 보입니다.

わか げんき せいねん
若くて 元気な 青年たち。
젊고 활기찬 청년들.

若[じゃく] 같을 약 老若男女(ろうにゃくなんにょ) 남녀노소

25
N4
うつく
美しい

아름답다

うつく
お美しいですね。
아름다우시군요.

うつく　うみ　み　へや
美しい 海が 見える 部屋。
아름다운 바다가 보이는 방.

美[び] 아름다울 미　美人(びじん) 미인

26
N5
かわいい

귀엽다

こいぬ
かわいい 子犬。
귀여운 강아지.

かれ
彼には まだ かわいい ところが ある。
그에게는 아직 귀여운 구석이 있다.

흔히 '예쁘다'라는 뜻으로도 많이 쓴다.

27
N4
やさ
優しい

상냥하다　* 易(やさ)しい 쉽다

がくせい　やさ　せんせい
学生に 優しい 先生。
학생들에게 다정한 선생님.

やさ　せつめい
もっと 優しく 説明してください。
좀 더 친절하게 설명해 주세요.

優[ゆう] 넉넉할 우　優秀(ゆうしゅう) 우수함

형용사 06 명암, 정도에 관한 말

28 N5 明(あか)るい

밝다

電気(でんき)を つけたら 部屋(へや)が 明(あか)るくなった。

불을 켰더니 방이 밝아졌다.

彼女(かのじょ)は 明(あか)るい 人(ひと)だ。

그녀는 밝은 사람이다.

明[めい・みょう] 밝을 명 **明暗(めいあん)** 명암

29 N5 暗(くら)い

어둡다

日(ひ)が 落(お)ちて 暗(くら)くなった。

날이 져서 어두워졌다.

暗(くら)い 性格(せいかく)の人(ひと)は 嫌(きら)いだ。

어두운 성격의 사람은 싫다.

暗[あん] 어두울 암 **暗号(あんごう)** 암호

30 N5 良(い/よ)い

좋다

今日(きょう)は いい天気(てんき)ですね。

오늘은 날씨가 참 좋군요.

もう いい。

이젠 됐다. 이젠 그만.

良[りょう] 좋을 량 **良好(りょうこう)** 양호

31 N5 **悪(わる)い**

나쁘다

私(わたし)も 頭(あたま)は 悪(わる)くない。

나도 머리는 나쁘지 않다.

目(め)が 悪(わる)くて 心配(しんぱい)です。

눈이 나빠서 걱정이에요.

悪[あく] 악할 악 **最悪(さいあく)** 최악

32 N5 **難(むずか)しい**

어렵다

試験(しけん)は 難(むずか)しくありませんでした。

시험은 어렵지 않았습니다.

それは 難(むずか)しい 質問(しつもん)ですね。

그건 까다로운(곤란한) 질문이군요.

難[なん] 어려울 난 **避難(ひなん)** 피난

33 N4 **易(やさ)しい**

쉽다 ＊**優(やさ)しい** = 친절하다

口(くち)で 言(い)うのは 易(やさ)しい。

입으로 말하기는 쉽다.

試験問題(しけんもんだい)は 易(やさ)しいものだった。

시험문제는 쉬웠다.

易[い・えき] 쉬울 이/역 **安易(あんい)** 안이

형용사 07

모양에 관한 말

34 N4 太(ふと)い
□
□

굵다

足(あし)が 太(ふと)い。
다리가 굵다.

うどんは 太(ふと)い 麺(めん)が 好(す)きです。
우동은 굵은 면을 좋아합니다.

太[たい] 굵을 태 **太陽(たいよう)** 태양

35 N4 細(ほそ)い
□
□

가늘다

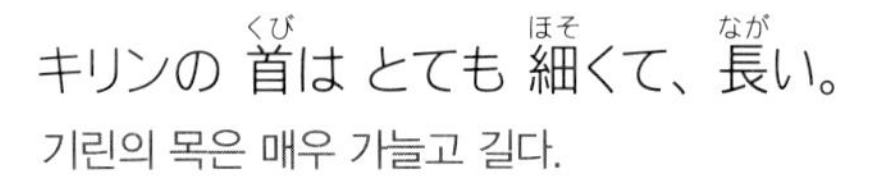

キリンの 首(くび)は とても 細(ほそ)くて、長(なが)い。
기린의 목은 매우 가늘고 길다.

細(ほそ)くて 長(なが)い 目(め)。
가늘고 긴 눈.

細[さい] 가늘 세 **繊細(せんさい)** 섬세

36 N4 厚(あつ)い
□
□

두껍다

この辞書(じしょ)は 厚(あつ)くて 重(おも)いです。
이 사전은 두껍고 무겁습니다.

カバンが 厚(あつ)くなる。
가방이 두꺼워지다. (가방이 불룩해지다.)

厚[こう] 두꺼울 후 **厚意(こうい)** 후의

37 N5 **薄(うす)い**
□
□

얇다 ↔ 厚(あつ)い / 연하다 ↔ 濃(こ)い

これより 薄(うす)い 色(いろ)を 見(み)せてください。

이것보다 연한 색을 보여 주세요.

もっと 薄(うす)い 本(ほん)を 作(つく)ってほしい。

좀더 얇은 책을 만들어주면 좋겠다.

薄[はく] 엷을 박　佳人薄命(かじんはくめい) 미인박명

38 N5 **丸(まる)い**
□
□

둥글다 ↔しかくい(네모나다)

丸(まる)い 顔(かお)の 子供(こども)。

동근란 얼굴을 한 어린이.

丸(まる)い 性格(せいかく)の 人(ひと)。

원만한 성격의 사람.

丸[がん] 둥글 환　弾丸(だんがん) 탄환

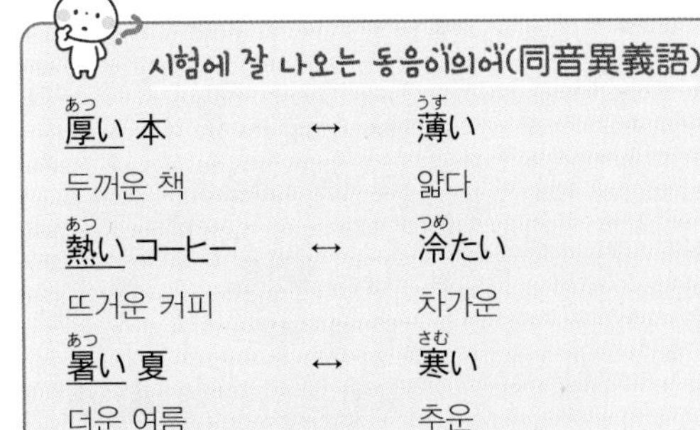

시험에 잘 나오는 동음이의어(同音異義語)

厚(あつ)い 本	↔	薄(うす)い
두꺼운 책		얇다
熱(あつ)い コーヒー	↔	冷(つめ)たい
뜨거운 커피		차가운
暑(あつ)い 夏	↔	寒(さむ)い
더운 여름		추운

형용사 08 온도, 날씨에 관한 말

39 N3 暖(あたた)かい

따뜻하다

今日(きょう)は 暖(あたた)かい。
오늘은 (날씨가) 따뜻하다.

この 部屋(へや)は 本当(ほんとう)に 暖(あたた)かい。
이 방은 정말로 따뜻하다.

暖[だん] 따뜻할 난 温暖化(おんだんか) 온난화

40 N5 暑(あつ)い

덥다

韓国(かんこく)は 6月(ろくがつ)から 暑(あつ)くなる。
한국은 6월부터 더워진다.

教室(きょうしつ)が 暑(あつ)くて クーラーを つけた。
교실이 더워서 에어컨을 달았다.

暑[しょ] 더울 서 暑中見舞(しょちゅうみまい) 복중문안

41 N4 熱(あつ)い

뜨겁다 ↔ 冷(つめ)たい

熱(あつ)い 涙(なみだ)を 流(なが)す。
뜨거운 눈물을 흘리다.

熱(あつ)い 愛情(あいじょう)。
뜨거운 애정.

熱[ねつ] 뜨거울 열 熱烈(ねつれつ) 열렬

42 N4 **涼(すず)しい**
□
□

(날씨가)시원하다

涼(すず)しい 風(かぜ)が 吹(ふ)いて 来(き)た。
시원한 바람이 불어왔다.

このシャツは 涼(すず)しく 見(み)える。
이 셔츠는 시원해 보인다.

涼[りょう] 서늘할 량 清涼飲料(せいりょういんりょう) 청량음료

43 N4 **冷(つめ)たい**
□
□

시원하다, 차갑다

冷(つめ)たい ビールでも 飲(の)みましょうか。
차가운 맥주라도 마실까요?

手(て)が とても 冷(つめ)たくなりました。
손이 매우 차가워졌습니다.

冷[れい] 차가울 냉 冷静(れいせい) 냉정

44 N5 **寒(さむ)い**
□
□

춥다 ↔ 暑(あつ)い

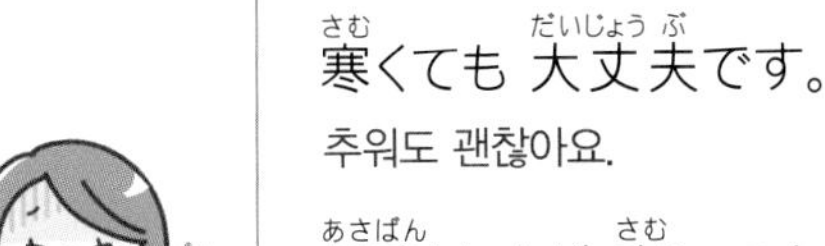

寒(さむ)くても 大丈夫(だいじょうぶ)です。
추워도 괜찮아요.

朝晩(あさばん)は まだ 寒(さむ)いです。
아침저녁은 아직 춥습니다.

寒[かん] 찰 한 寒気(かんき) 한기(추위)

형용사 09 색깔에 관한 말

45
N5
あお
青い
□
□

파랗다

あお　そら
青い空。
파란 하늘.

　　み　あお
まだ、実が 青い。
아직 열매가 덜 익었다. 덜 성숙했다. (관용구)

青[せい] 푸를 청　**青春(せいしゅん)** 청춘

46
N5
あか
赤い
□
□

붉다

かおいろ　あか
顔色が 赤くなった。
얼굴이 붉어졌다.

あか
赤い バラ。
붉은 장미.

赤[せき] 붉을 적　**赤十字(せきじゅうじ)** 적십자

47
N5
き いろ
黄色い
□
□

노랗다

き いろ
黄色い シャツ。
노란 셔츠.

わたし　き いろ　す
私は 黄色が 好きです。
나는 노란색을 좋아합니다.

黄[おう] 누를 황　**黄金[おうごん]** 황금

색에 관한 표현

黄色(きいろ)	황색	黄色(きいろ)い	노랗다
黒(くろ)	검정	黒(くろ)い	까맣다
白(しろ)	하양	白(しろ)い	하얗다
青(あお)	파랑	青(あお)い	파랗다
赤(あか)	빨강	赤(あか)い	빨갛다
はいいろ	회색		
むらさきいろ	보라색		

형용사 10 상태에 관한 말

48 N5

あぶ
危ない

위험하다

いのち　あぶ
命が 危ない。

생명이 위험하다.

あぶ
危ないですから さわらないでください。

위험하므로 만지지 마십시오.

危[き] 위태할 위　危険(きけん) 위험

49 N5

いそが
忙しい

바쁘다 ↔ ひまだ(형용동사)

じゅうにがつ　いそが
12月には 忙しくなります。

12월에는 바빠집니다.

しけんべんきょう　いそが
試験勉強で 忙しい。

시험공부로 바쁘다.

忙[ぼう] 바쁠 망　多忙(たぼう) 다망

50 N5

いた
痛い

아프다 *몸의 어느 부분이 아프다고 할 경우

あたま　いた　こころ　いた
頭が 痛い。/ 心が 痛い。

머리가 아프다. / 마음이 아프다.

*몸이 아프다/안 좋다라고 할 때는「体(からだ)の具合(ぐあい)が悪(わる)い」라고 한다.

痛[つう] 고통 통　苦痛(くつう) 고통

51 N5 汚い(きたな)

□
□

더럽다 ↔ きれいだ

汚い(きたな) 空気(くうき)は 体(からだ)にも 悪い(わる)。
더러운 공기는 몸에도 좋지 않다.

子供(こども)の前(まえ)で 汚(きた)ない 話(はなし)は やめてください。
아이 앞에서 지저분한 얘기는 삼가해주세요.

汚[お] 더러울 오 汚染(おせん) 오염

52 N5 ない

□
□

없다 ↔ ある(동사)

すでに お金(かね)も お米(こめ)も なくなった。
이미 돈도 쌀도 떨어졌다.

ないものが ない。
없는 게 없다.

사람이 '없다'는 いない.

형용사 11 맛에 관한 말

53 N5

あま
甘い

달콤하다, 미숙하다

きょねん　なし　あま
去年は 梨が 甘かったのに。

작년에는 배가 달았는데….

かんが　かた　あま
考え方が 甘い。

생각이 아직 미숙하다.

甘[かん] 달 감　甘美(かんび) 감미

54 N5

おいしい

맛있다

おいしそう!

맛있겠다!

た
おいしそうに ケーキを 食べている。

맛있게 케익을 먹고 있다.

한자로는 美味しい로 표기하기도 한다.

55 N5

から
辛い

맵다

かんこく　から
韓国の キムチは 辛くて おいしい。

한국 김치는 맵고 맛있다.

てんすう　から
点数が 辛い。

점수가 짜다. (관용구)

辛[しん] 매울 신　香辛料(こうしんりょう) 향신료

56 N4 **苦(にが)い**
□
□

쓰다 ＊苦しい로는 くるしい(괴롭다)라고 읽는다.

いい薬(くすり)は 口(くち)に 苦(にが)いものです。
좋은 약은 입에 쓴 법입니다.

この前(まえ)の大会(たいかい)では 苦(にが)い 思(おも)いを しました。
지난번 대회때는 쓰라린 경험을 했습니다.

苦[く] 쓸 고　苦労(くろう) 고생

57 N5 **まずい**
□
□

맛없다　＊한자로는 不味い로 표기한다.

すごく まずそうな パン。
진짜 맛없어 보이는 빵.

父(ちち)に 知(し)られると まずい ことになる。
아버지가 아시면 큰일난다.

재미없다, 서투르다, 거북하다는 뜻도 있다.

맛에 관한 표현

- すっぱい　시다
- うすい　싱겁다
- しょっぱい　짜다
- こい　진하다

おいしい와 うまい

둘 다 '맛있다'는 뜻이지만 「うまい」는 주로 남자들이 쓰는 말이다. 또 「うまい」는 음식 이외에도 노래나 기술 등이 '뛰어나다', '잘하다', '나쁘지 않다'는 뜻도 들어 있다.

형용사 12 감정에 관한 말

58
N5
おもしろい

재미있다

おもしろ過(す)ぎて、笑(わら)いが 止(と)まらなかった。
너무 재미있어서 웃음이 멈추질 않았다.

おもしろくない 結果(けっか)と なった。
그다지 탐탁치 않은 결과가 나왔다.

한자로는 **面白い**로 표기하기도 한다.

59
N4
おかしい

이상하다, 우습다

可笑(おか)しい 話(はなし)を して 人(ひと)を 笑(わら)わせた。
재미있는 이야기로 사람들을 웃겼다.

Aさんは 最近(さいきん)、すこし おかしい。
A씨는 요즘 조금 이상해.

주로 '이상하다'는 뜻으로 쓰인다.

60
N5
楽(たの)しい

즐겁다

旅行(りょこう)は とても 楽(たの)しかったです。
여행은 매우 즐거웠습니다.

楽(たの)しい 時間(じかん)を お過(す)ごしください。
즐거운 시간 되십시오.

楽[らく・がく] 즐거울 락/악　娯楽(ごらく) 오락

61
N4 **つまらない** □□

하찮다

思(おも)ったより つまらない 映画(えいが)でした。
생각보다 시원찮은 영화였습니다.

仕事(しごと)も つまらなくなりました。
일도 시들해졌어요.

'따분하다, 재미없다'는 뜻도 포함되어 있다.

62
N4 **ほしい** □□

원하다, 갖고 싶다

赤(あか)い カバンが ほしいです。
빨간 가방을 갖고 싶어요.

ぜひ 連(つ)れて行(い)って ほしかったです。
꼭 함께 데려가 주길 바랬습니다.

~てほしい (남이)~해주면 좋겠다

형용사

확인문제

※ 반대말을 찾아 번호를 쓰시오.

① 遅い	② 軽い	③ 狭い	④ 少ない	⑤ 小さい
⑥ 近い	⑦ 低い	⑧ 古い	⑨ 短い	⑩ 弱い

1. 大きい ↔ (　　)

2. 多い ↔ (　　)

3. 長い ↔ (　　)

4. 重い ↔ (　　)

5. 広い ↔ (　　)

6. 高い ↔ (　　)

7. 遠い ↔ (　　)

8. 速い ↔ (　　)

9. 強い ↔ (　　)

10. 新しい ↔ (　　)

정답 1. ⑤ 2. ④ 3. ⑨ 4. ② 5. ③
6. ⑦ 7. ⑥ 8. ① 9. ⑩ 10. ⑧

① 明るい	② 寒い	③ 冷たい	④ つまらない
⑤ 細い	⑥ まずい	⑦ 易しい	

11. 難しい ↔ (   )

12. 太い ↔ (   )

13. 暗い ↔ (   )

14. おもしろい ↔ (   )

15. うまい ↔ (   )

16. 暑い ↔ (   )

17. 熱い ↔ (   )

11. ⑦ 12. ⑤ 13. ① 14. ④ 15. ⑥
16. ② 17. ③

형용사 **종합문제**

※ 밑줄 친 단어의 반대말을 쓰시오.

1. 大きい声で話す。 → ______________

2. 多ければ多いほどよい。 → ______________

3. 高い所は嫌いだ。 → ______________

4. このお店の果物(くだもの)は高い。 → ______________

5. 道路が狭(せま)くて、大変(たいへん)でした。 → ______________

6. あまり遠くまで行かないこと。 → ______________

7. まだ家に帰るには早い時間です。 → ______________

8. 私は子供の時から体が弱かった。 → ______________

9. 古いテレビ。 → ______________

10. 明るい性格の人。 → ______________

※ 밑줄 친 곳에 들어갈 적당한 말을 고르시오.

11. 耳が ________ 。

① 近い　　② 遠い

③ 早い　　④ 高い

12. 鼻が ________ 。

① あまい　　② 高い

③ 優しい　　④ 早い

13. 時間が経(た)つのは本当に ________ ですね。

① 速い　　② 早い

③ 強い　　④ 遅い

14. 口で言うのは ________ 。

① 優しい　　② 易しい

③ 若い　　④ 薬しい

15. 人生は短く、芸術は ________ 。

① 難しい　　② 美しい

③ 広い　　④ 長い

정답

1. 小さい	2. 少ない	3. 低い	4. 安い	5. 広くて
6. 近く	7. 遅い	8. 強かった	9. 新しい	10. 暗い
11. ②	12. ②	13. ①	14. ②	15. ④

カレーライス와 ライスカレー

통계에 따르면 일본의 어린이들이 가장 좋아하는 음식은 햄버거, 카레라이스, 불고기 순이라고 한다.

그 중에서도 특히 카레라이스는 어린이뿐만 아니라, 어른들도 모두 좋아하는 대중적인 음식으로 자리 잡고 있는데, 음식점의 메뉴를 보면「カレーライス」라고 표기된 곳이 있는가 하면,「ライスカレー」라고 표기된 곳도 있다.

역사를 거슬러 올라가보면 카레가 일본에 처음 소개된 타이쇼(大正)시대에는「カレーライス」로 불리워졌다. 하지만, 이후 쇼와(昭和)시대에는「ライスカレー」로 불리게 되었다고 한다. 아마도 쌀을 강조한 이름이었을 것이다. 그리고 지금의「カレーライス」가 부활한 것은 신주쿠(新宿)의 中村屋(なかむらや)가 기존의 것과 차별화를 위해 밥과 카레를 따로 담아내면서부터라고 한다. 당시 다른 음식점에 비해 4~5배 비싼 값에도 불구하고 中村屋의「カレーライス」는 고급스런 맛과 이미지, 분위기 등으로 커다란 인기를 얻었고, 이후 호텔 레스토랑 등이 앞다투어 中村屋식의「カレーライス」를 선보였다고 한다. 결국 그릇에 따로 담아내느냐 같이 내느냐의 차이지만, 호텔이나 학교식당에 이르기까지 대중적인 사랑을 받는 マルチメニュー(멀티메뉴)임에는 틀림없다.

03
형용동사

형용동사 01 정도나 상태에 관한 말 (반대말)

01 N4 安全だ (あんぜん)

안전하다

安全な 方法を さがしてみましょう。(あんぜん, ほうほう)
안전한 방법을 찾아봅시다.

これなら 安全で、安心できる。(あんぜん, あんしん)
이거라면 안전해서 안심할 수 있다.

安[あん] 편안할 안 全[ぜん] 완전할 전

02 N4 危険だ (きけん)

위험하다

それは 危険な 考え方です。(きけん, かんが, かた)
그건 위험한 생각입니다.

危険であるとは 知っている。(きけん, し)
위험하다는 것은 알고 있다.

危[き] 위태할 위 険[けん] 험할 험

03 N2 不安だ (ふあん)

불안하다 ↔ 安心(あんしん)だ

最近 不安な 状況が 続いている。(さいきん, ふあん, じょうきょう, つづ)
최근 불안한 상황이 계속되고 있다.

不安な 気持ちを 抑えきれない。(ふあん, きも, おさ)
불안한 마음을 억누를 수 없다.

不[ふ] 아닐 불/부 安[あん] 편안할 안

04 N3 **完全(かんぜん)だ**

□
□

완전하다

まだ 完全(かんぜん)な 形(かたち)に なっていない。

아직 완전한 형태가 되지 않았다.

完全(かんぜん)に 終(お)わったと 思(おも)った。

완전히 끝난 줄 알았다.

完[かん] 완전할 완 **全**[ぜん] 온전할 전

05 N4 **簡単(かんたん)だ**

□
□

간단하다

簡単(かんたん)に 考(かんが)えましょう。

간단하게 생각합시다.

そんな簡単(かんたん)な 問題(もんだい)ではない。

그리 간단한 문제가 아니다.

簡[かん] 간단할 간 **単**[たん] 홑 단

06 N4 **複雑(ふくざつ)だ**

□
□

복잡하다

複雑(ふくざつ)な 展開(てんかい)と なった。

복잡한 전개가 되었다.

あまりにも 複雑(ふくざつ)で よく わからない。

너무 복잡해서 잘 모르겠다.

複[ふく] 겹칠 복, 겹칠 부 **雑**[ざつ] 섞일 잡

정도나 상태에 관한 말 (반대말)

07 N4
充分だ(じゅうぶんだ)

충분하다 = 十分だ

これで 充分(じゅうぶん)です。
이걸로 충분합니다.

充分(じゅうぶん)に 説明(せつめい)した つもりですが…。
충분히 설명했다고 생각하는데요….

充[じゅう] 찰 충 分[ぶん] 나눌 분

08 N1
不十分だ(ふじゅうぶんだ)

불충분하다 = 不充分だ

これだけでは 不十分(ふじゅうぶん)です。
이것만으로는 불충분합니다.

不十分(ふじゅうぶん)ながら、お役(やく)に立(た)てればうれしいです。
불충분하지만, 도움이 될 수 있다면 좋겠습니다.

不[ふ] 아니 불 十[じゅう] 열 십 分[ぶん] 나눌 분

09 N5
便利だ(べんりだ)

편리하다 ≒ 楽(らく)だ(편하다)

これなら 便利(べんり)で、安全(あんぜん)です。
이것이라면 편리하고 안전합니다.

安(やす)くて 便利(べんり)な 施設(しせつ)。
값싸고 편리한 시설.

便[べん] 편할 편 利[り] 이익 리

10
N4
ふ べん
不便だ

□
□

불편하다

ふ べん
ご不便な ところは ありませんか。
불편하신 곳은 없습니까?

たてもの　　　　　　　　　　　ふ べん
この建物は エレベーターが なくて 不便です。
이 건물은 엘리베이터가 없어서 불편합니다.

不[ふ] 아닐 불/부　便[べん] 편할 편

11
N5
しず
静かだ

□
□

조용하다

しず　　　よる　　す
静かな 夜を 過ごす。
조용한 밤을 지내다.

くるま　しず　　はし だ
車が 静かに 走り出した。
차가 조용히 달리기 시작했다.

静[せい] 고요할 정

12
N5
にぎ
賑やかだ

□
□

활기차다

にぎ　　　　みせ
賑やかな お店。
활기찬 가게.

とお　　にぎ
この通りも 賑やかに なりました。
이 거리도 사람들로 북적거리게 되었습니다.

賑[しん] 구휼할 진

형용동사 03 정도나 상태에 관한 말 (반대말)

13 N3 自然(しぜん)だ

자연스럽다

自然(しぜん)な 日本語(にほんご)を 話(はな)す。
자연스러운 일본어를 구사하다.

朝(あさ)を ぬくのも もう 自然(しぜん)に なりました。
아침을 거르는 것도 이제 자연스럽게 되었습니다.

自[し·じ] 스스로 자　然[ぜん] 그러할 연

14 N1 不自然(ふしぜん)だ

부자연스럽다

どう 見(み)ても 不自然(ふしぜん)な 行動(こうどう)。
아무리 봐도 부자연스러운 행동.

不自然(ふしぜん)で 分(わ)かりにくい 英語(えいご)。
부자연스럽고 알아듣기 어려운 영어.

不[ふ] 아니 불　自[し·じ] 스스로 자　然[ぜん] 그러할 연

15 N5 無理(むり)だ

무리다

無理(むり)な ことは 言(い)わないで ください。
무리한 말씀은 말아 주십시오.

やはり この仕事(しごと)は 彼(かれ)に 無理(むり)でした。
역시 이번 일은 그에게 무리였습니다.

無[む] 없을 무　理[り] 다스릴 리

16 N2
□
□

有利(ゆうり)だ

유리하다

有利(ゆうり)な 立場(たちば)に 立(た)つ。
유리한 입장에 서다.

自分(じぶん)に 有利(ゆうり)な ように 話(はな)す。
자신에게 유리하게 말하다.

有[ゆう] 있을 유 利[り] 이로울 리

긍정적인 판단에 관한 말

17 N4

盛(さか)んだ

맹렬하다

盛(さか)んな 議論(ぎろん)を 期待(きたい)しています。

활발한 논의를 기대하고 있습니다.

盛(さか)んに 電話(でんわ)してくる。

자주 전화하다.

盛[じょう] 성할 성

18 N2

順調(じゅんちょう)だ

순조롭다

今(いま)のところ、順調(じゅんちょう)に 進(すす)んで います。

지금으로서는 순조롭게 진행되고 있습니다.

初(はじ)めは 順調(じゅんちょう)でした。

처음에는 순조로웠습니다.

順[じゅん] 순할 순　調[ちょう] 고를 조

19 N5

丈夫(じょうぶ)だ

튼튼하다

丈夫(じょうぶ)な 体(からだ)。

튼튼한 몸.

とても 丈夫(じょうぶ)な カバンですね。

가방이 아주 튼튼하군요.

丈[じょう] 어른 장　夫[ふ·ぶ] 사내 부

20 N5 □□

大丈夫(だいじょうぶ)だ

괜찮다

何(なに)が あっても 大丈夫(だいじょうぶ)だ。

무슨 일이 있어도 괜찮다.

この水(みず)は 飲(の)んでも 大丈夫(だいじょうぶ)ですか。

이 물은 마셔도 될까요?

大[だい] 클 대　丈[じょう] 어른 장　夫[ふ・ぶ] 사내 부

21 N4 □□

大事(だいじ)だ

소중하다

これは 大事(だいじ)に して ください。

이건 소중하게 다뤄 주세요.

私(わたし)に とっては 大事(だいじ)な ものです。

저에게는 소중한 것입니다.

お大事(だいじ)に。몸조리 잘 하세요. 〈인사말〉

22 N4 □□

大切(たいせつ)だ

소중하다

命(いのち)を 大切(たいせつ)に する。

생명을 소중하게 여기다.

大切(たいせつ)な ものは 忘(わす)れないように。

귀중품은 분실하지 않도록.

大[たい・だい] 큰 대　切[せつ] 일절 절

형용동사 **05** 긍정적인 판단에 관한 말

23 N4
確かだ (たし)

확실하다

確かに このへんに ありました。(たし)
틀림없이 이 근처에 있었습니다.

確かな 方法を 探せ! (たし / ほうほう / さが)
확실한 방법을 찾아봐!

確[かく] 굳을 확

24 N3
適当だ (てきとう)

적당하다

1年生に 適当な テキストだと 思います。(いちねんせい / てきとう / おも)
1학년에게 적합한 교재라고 생각합니다.

適当な 方法が ないかな…。(てきとう / ほうほう)
적당한 방법이 없을까…?

適[てき] 맞을 적 当[とう] 마땅할 당

25 N4
特別だ (とくべつ)

특별하다

特別扱いされたくない。(とくべつあつか)
특별 취급받기 싫어.

特別に 安くしてもらいました。(とくべつ / やす)
특별히 싸게 해주었습니다.

特[とく] 특별할 특 別[べつ] 나눌 별

26
N2
平等だ（びょうどう）
□
□

평등하다

平等な立場で話す。（びょうどう、たちば、はな）
평등한 입장에서 말하다.

人間は皆平等である。（にんげん、みんな、びょうどう）
인간은 모두 평등하다.

平[びょう · へい] 평평할 평　等[とう] 무리 등

27
N1
無難だ（ぶなん）
□
□

무난하다

無難な色の方がいいでしょう。（ぶなん、いろ、ほう）
무난한 색 쪽이 좋겠지요?

決して無難な性格とは言えない。（けっ、ぶなん、せいかく、い）
결코 무난한 성격이라고는 할 수 없다.

無[む · ぶ] 없을 무　難[なん] 어려울 난

형용동사 06 **긍정적인 판단에 관한 말**

28 N2 豊かだ (ゆた)

□ □

풍부하다, 풍요롭다

感受性の 豊かな 人。(かんじゅせい ゆた ひと)

감수성이 풍부한 사람.

韓国は 観光資源が 豊かです。(かんこく かんこうしげん ゆた)

한국은 관광자원이 풍부합니다.

豊[ふう] 풍년 풍

29 N4 立派だ (りっぱ)

□ □

훌륭하다

立派な 建物ですね。(りっぱ たてもの)

훌륭한 건물이군요.

一人でも 立派に できました。(ひとり りっぱ)

혼자서도 훌륭히 잘 했습니다.

立[りつ] 설 립 派[は] 갈래 파

30 N1 華やかだ (はな)

□ □

화려하다, 화사하다

夏の夜空を 華やかに いろどる 花火。(なつ よぞら はな はなび)

여름밤을 화려하게 수놓는 불꽃.

華やかな 花柄が よく 似合いますね。(はな はながら にあ)

화사한 꽃무늬가 잘 어울리시네요.

華[か] 화려할 화

3-06▶

31 N4

るす
留守だ

(집을)비우다

ただいま 留守(るす)に しています。

현재 부재중입니다.

一人(ひとり)で 留守番(るすばん)を している。

혼자서 집을 지키고 있다.

留[る · りゅう] 머무를 류(유)　守[しゅ · す] 지킬 수

형용동사 07

부정적인 판단에 관한 말

32 N2 困難(こんなん)だ

곤란하다

困難(こんなん)な 時(とき)は 私(わたし)に 電話(でんわ)して。
곤란할 때는 나한테 전화해.

困難(こんなん)な 問題(もんだい)に なりました。
곤란한 문제가 되었습니다.

困[こん] 곤할 곤　難[なん] 어려울 난

33 N4 残念(ざんねん)だ

안됐다, 유감이다

それは 残念(ざんねん)ですね。
그것 참 안됐군요.

残念(ざんねん)ながら、またテロ事件(じけん)が 起(お)きました。
유감스럽게도 또다시 테러사건이 일어났습니다.

残[ざん] 남을 잔　念[ねん] 생각 념

34 N5 大変(たいへん)だ

대단하다

それは 大変(たいへん)だ。
그거 큰일이다.

大変(たいへん)な ことに なりました。
큰일이 일어났습니다.

大[たい・だい] 클 대　変[へん] 변할 변

35
N4
□
□
駄目だ(だめ)

소용없다

今は 駄目です。(いま, だめ)
지금은 곤란합니다.

駄目な ことは 駄目だ。(だめ, だめ)
안 되는 것은 안 된다.

駄(駄)[だ] 실을 타　目[もく] 눈 목

36
N2
□
□
でたらめだ

엉터리다

でたらめな 話。(はなし)
터무니없는 이야기.

でたらめ(なこと)を 言うな。(い)
아무렇게나 말하지 마.

부정적인 뉘앙스의 표현.

형용동사 08 부정적인 판단에 관한 말

37 N4
変だ(へん)

이상하다

変な 味。(へん / あじ)
이상한 맛.

彼、最近 ちょっと 変じゃない?(かれ / さいきん / へん)
그 사람 요즘 좀 이상하지 않니?

変[へん] 변할 변

38 N1
無駄だ(むだ)

쓸데없다

今から 行っても 無駄でしょう。(いま / い / むだ)
지금 가도 소용없겠죠?

お金の 無駄使いは しないでね。(かね / むだつか)
돈 낭비 하지마. 응?

無[む·ぶ] 없을 무 駄[だ] 실을 타

39 N2
やっかいだ

귀찮다 *厄介로 표기

やっかいな ことに なりました。
일이 성가시게 되었습니다.

厄介者。(やっかいもの)
귀찮은 존재.

厄[やっ] 액 액 介[かい] 낄 개

형용동사 09 사람에 관한 말

40 N5 **きれいだ**

곱다, 깨끗하다

きれいな お花(はな)ですね。

고운 꽃이군요.

台所(だいどころ)を きれいに 片付(かたづ)ける。

부엌을 깨끗이 치우다.

한자로는 **奇麗** 또는 **綺麗**로 표기한다.

41 N3 **かわいそうだ**

불쌍하다

かわいそうに。

불쌍하기도 하지. (불쌍해라.)

映画(えいが)の主人公(しゅじんこう)は あまりにもかわいそうだった。

영화의 주인공은 너무 불쌍했다.

かわいい 귀엽다

42 N5 **元気(げんき)だ**

건강하다

お元気(げんき)ですか。

안녕하십니까?

元気(げんき)に やっています。

건강하게 잘 지내고 있습니다.

元[げん] 으뜸 원 **気**[き] 기운 기

43 N3 □□
健康(けんこう)だ

건강하다 (cf.元気だ)

健康(けんこう)な 体(からだ)に 健康(けんこう)な 精神(せいしん)が やどる。

건강한 육체에 건강한 정신이 깃든다.

健康(けんこう)で 明(あか)るい 子供(こども)。

건강하고 밝은 아이.

健[けん] 튼튼할 건 康[こう] 편안할 강

44 N3 □□
親切(しんせつ)だ

친절하다 ↔ 不親切(ふしんせつ)だ

私(わたし)にも 親切(しんせつ)に してくれました。

저에게도 친절히 대해 주셨습니다.

とても 親切(しんせつ)な 方(かた)でした。

매우 친절한 분이셨습니다.

親[しん] 친할 친 切[せつ] 일절 절

45 N4 □□
丁寧(ていねい)だ

정중하다

丁寧(ていねい)に あいさつしました。

정중하게 인사했습니다.

井上(いのうえ)さんは とても 丁寧(ていねい)な 方(かた)です。

이노우에 씨는 매우 예의바르고 친절한 분입니다.

丁[てい] 간지 정 寧[ねい] 편안할 녕

형용동사 10 사람에 관한 말

46 N2
生意気だ (なまいき)
□
□

건방지다

生意気な ことを 言うな。(なまいき / い)

건방진 소리 하지 마!

生意気に 見える。(なまいき / み)

건방지게 보이다.

生[せい・しょう] 살 생 意[い] 뜻 의 気[き] 기운 기

47 N1
貧乏だ (びんぼう)
□
□

가난하다

昔は 貧乏な 生活を しました。(むかし / びんぼう / せいかつ)

옛날에는 가난한 생활을 했습니다.

貧乏な 食卓。(びんぼう / しょくたく)

가난한 식탁.

貧[びん] 가난할 빈 乏[ぼう] 가난할 핍

48 N4
真面目だ (まじめ)
□
□

성실하다

山下さんは とても 真面目な 方です。(やました / まじめ / かた)

야마시타 씨는 매우 성실한 분이십니다.

仕事を する 時は 真面目に すべきだ。(しごと / とき / まじめ)

일할 때에는 진지하게 해야 한다.

真[しん] 참 진 面[めん] 낯 면 目[もく] 눈 목

3-10▸

49
N4
ゆうめい
有名だ

□
□

유명하다

韓国(かんこく)で 最(もっと)も 有名(ゆうめい)な 観光地(かんこうち)は どこですか。

한국에서 가장 유명한 관광지는 어디입니까?

有名(ゆうめい)に なるより、幸(しあわ)せに なりたい。

유명해지기보다 행복해지고 싶다.

有[ゆう] 있을 유　名[めい・みょう] 이름 명

형용동사 11 기능에 관한 말

50 N5 ☐☐

上手(じょうず)だ

잘하다, 능숙하다

英語(えいご)も 上手(じょうず)ですね。
영어도 잘 하시는군요.

私(わたし)も 上手(じょうず)に なりました。
저도 능숙해졌습니다.

上[じょう] 위 상 手[しゅ] 손 수

51 N4 ☐☐

下手(へた)だ

서투르다

私(わたし)は 日本語(にほんご)が 下手(へた)です。
저는 일본어가 서투릅니다.

下手(へた)な 英語(えいご)で 一所懸命(いっしょけんめい)に 話(はな)しました。
서투른 영어로 열심히 말했습니다.

下手(へた)をすれば 자칫 잘못하면

52 N3 ☐☐

得意(とくい)だ

자신있다, 잘하다

山下(やました)さんの 得意(とくい)な 料理(りょうり)は 何(なん)ですか。
야마시타 씨가 자신있는 요리는 무엇입니까?

カレーが 得意(とくい)です。
카레를 잘 만듭니다.

得[とく] 얻을 득 意[い] 뜻 의

3-11▶

53
N2
□
□

苦手だ（にがて）

자신없다, 서툴다

私（わたし）は 数学（すうがく）は 苦手（にがて）です。

저는 수학은 자신없습니다.

キムチは 辛（から）くて、苦手（にがて）な 人（ひと）も 多（おお）いです。

김치는 매워서 잘 못 먹는 사람도 많습니다.

苦[く] 쓸 고　手[しゅ] 손 수

형용동사 12 감정표현에 관한 말

54 N5 嫌だ(いや)

싫어하다

別に嫌な ことは ありませんでした。
특별히 좋지 않은 일은 없었습니다.

何となく 嫌な 人も います。
어쩐지 싫은 사람도 있습니다.

嫌[けん] 혐오 혐

55 N5 嫌いだ(きらい)

싫어하다

それは 嫌いです。
그건 싫습니다.

野菜は 嫌いな 方です。
야채는 싫어하는 편입니다.

嫌[けん] 혐오 혐

56 N4 心配だ(しんぱい)

걱정스럽다

昨夜は 心配で よく 眠れなかった。
어젯밤에는 걱정 때문에 잠을 이루지 못했다.

何か 心配事でも ありますか。
무슨 걱정거리라도 있어요?

心[しん] 마음 심　配[はい] 나눌 배

57 N3
幸(しあわ)せだ

행복하다

幸(しあわ)せですか。
행복합니까?

君(きみ)の ことを 一生(いっしょう) 幸(しあわ)せにするよ。
너를 평생 행복하게 해줄게. (남자말)

幸[こう] 다행 행

58 N5
好(す)きだ

좋아하다 ↔ 嫌(きら)いだ

私(わたし)は 魚(さかな)が 好(す)きです。
나는 생선을 좋아합니다.

好(す)き嫌(きら)いが はっきりしている。
좋고 싫은 것이 분명하다.

大好(だいす)きだ 아주 좋아하다 ↔ 大嫌(だいきら)いだ

59 N5
大好(だいす)きだ

아주 좋아하다

私(わたし)の 大好(だいす)きな 作家(さっか)は 赤川次郎(あかがわじろう)です。
내가 아주 좋아하는 작가는 아까가와지로입니다.

日本人(にほんじん)も 焼(や)き肉(にく)が 大好(だいす)きです。
일본인도 불고기를 아주 좋아합니다.

大[だい] 클 대 好[こう] 좋아할 호

형용동사 13

주로 부사처럼 쓰는 말

60 N4 □□

久(ひさ)しぶりだ

오래간만이다

久(ひさ)しぶりに 休(やす)みました。

모처럼 쉬었습니다.

お久(ひさ)しぶりです。

오래간만입니다.

久[きゅう・く] 오랠 구

61 N4 □□

一緒(いっしょ)だ

함께하다, 같다

一緒(いっしょ)に 行(い)きましょう。

함께 가죠.

私(わたし)の 意見(いけん)も 彼(かれ)と 一緒(いっしょ)です。

제 의견도 그와 마찬가지입니다.

緒[しょ] 실마리 서

62 N4 □□

一所懸命(いっしょけんめい)だ

아주 열심히 하다

一所懸命(いっしょけんめい)に 働(はたら)きました。

열심히 일했습니다.

私(わたし)も 一所懸命(いっしょけんめい)に やっております。

저도 열심히 하고 있습니다.

所[しょ] 바 소　懸[けん] 달 현　命[めい・みょう] 목숨 명

63
N3 同(おな)じだ
□
□

* 명사에 꾸미는 형태에 주의!

같다 ↔ 違(ちが)う(다르다) 동사

いつも同(おな)じことの繰(く)り返(かえ)しではつまらない。
항상 같은 일을 반복하는 것은 재미없다.

金田(かねだ)さんのと 同(おな)じように 作(つく)って下(くだ)さい。
카네다 씨의 것과 똑같이 만들어 주세요.

同[どう] 같을 동

64
N4 邪魔(じゃま)だ
□
□

방해(되)다 *주로 ~になる나 ~する형태로 쓴다.

会議(かいぎ)の 邪魔(じゃま)に ならないように。
회의에 방해가 되지 않도록.

これから お邪魔(じゃま)しても よろしいですか。
지금 찾아가도 되겠습니까?

邪[じゃ] 간사 사 魔[ま] 마귀 마

65
N5 そうだ
□
□

그렇다

はい、そうです。
예, 그렇습니다.

ああ、そうですか。
아아, 그래요?

'~라고 하다' (전문)는 뜻으로도 쓴다.

형용동사 14 주로 부사처럼 쓰는 말

66 N4
別だ(べつ)

다르다

別(べつ)な 方法(ほうほう)で やってみましょう。
다른 방법으로 해봅시다.

別(べつ)に 届(とど)けるものは ありません。
특별히 신고할 것은 없습니다.

別 뒤의 명사를 꾸밀 때 「別な」「別の」 둘 다 쓰인다.

67 N5
一番だ(いちばん)

최고다

一番(いちばん)で 合格(ごうかく)した。(명사로 쓰인 경우)
1등으로 합격했다.

一番(いちばん) 得意(とくい)な 科目(かもく)は 何(なん)ですか。
제일 자신있는 과목은 뭐예요?

番[ばん] 번호 번

68 N2
幸いだ(さいわ)

다행이다

幸(さいわ)いに 救急車(きゅうきゅうしゃ)が 到着(とうちゃく)した。
다행히 구급차가 도착했다.

幸(さいわ)いにも けがは なかった。
다행히 다치지는 않았다.

幸[こう] 다행 행

合格発表

형용동사 **확인문제**

※ 다음 단어의 한자음을 히라가나로 쓰시오.

1. 安全だ … (　　　　　)
2. 危険だ … (　　　　　)
3. 複雑だ … (　　　　　)
4. 順調だ … (　　　　　)
5. 特別だ … (　　　　　)
6. 大事だ … (　　　　　)
7. 大変だ … (　　　　　)
8. 大切だ … (　　　　　)
9. 心配だ … (　　　　　)
10. 貧乏だ … (　　　　　)

정답 1. あんぜん 2. きけん 3. ふくざつ 4. じゅんちょう 5. とくべつ 6. だいじ 7. たいへん 8. たいせつ 9. しんぱい 10. びんぼう

※ 다음 단어의 한자음을 히라가나로 쓰고, 뜻을 쓰시오.

1. 静かだ … ( ) … ( )

2. 確かだ … ( ) … ( )

3. 豊かだ … ( ) … ( )

4. 駄目だ … ( ) … ( )

5. 変だ … ( ) … ( )

6. 上手だ … ( ) … ( )

7. 下手だ … ( ) … ( )

8. 得意だ … ( ) … ( )

9. 苦手だ … ( ) … ( )

10. 真面目だ … ( ) … ( )

정답

1. しず/조용하다　2. たし/확실하다　3. ゆた/풍부하다
4. だめ/안된다　5. へん/이상하다　6. じょうず/잘하다
7. へた/못하다　8. とくい/자신있다　9. にがて/자신없다
10. まじめ/성실하다

형용동사

종합문제

※ 밑줄친 말의 반대말을 쓰시오.

1. これは安全な方法です。 → ____________

2. 作(つく)り方(かた)はとても簡単なものです。 → ____________

3. この機械(きかい)はとても便利です。 → ____________

4. 何(なん)でも自分(じぶん)に有利に話(はな)す。 → ____________

5. 私はスポーツなら何でも上手です。 → ____________

※ 밑줄 친 곳에 들어갈 적당한 말을 고르시오.

6. かぜも治って、今は ________ です。

① 大切　② 駄目
③ 大変　④ 大丈夫

7. 私は魚が ________ で、たくさん食べます。

① きらい　② きれい
③ いや　④ 好き

8. 赤ちゃんが寝ていますから、________ にしてください。

① にぎやか　② はなやか
③ しあわせ　④ しずか

정답　1. 不安(ふあん)　2. 複雑(ふくざつ)　3. 不便(ふべん)　4. 不利(ふり)　5. 下手(へた)　6. ④　7. ④　8. ④

04
부사

부사 01 정도를 나타내는 말

01 N4

随分(ずいぶん)

대단히

随分(ずいぶん) 待(ま)たされました。

아주 많이 기다렸습니다.

随分(ずいぶん) 遠(とお)い ところに ある。

상당히 먼 곳에 있다.

随[ずい] 뒤따를 수 分[ふん · ぶん] 나눌 분

02 N5

大変(たいへん)

매우

大変(たいへん) 疲(つか)れました。

매우 지쳤습니다.

大変(たいへん) 失礼(しつれい)しました。

대단히 실례했습니다.

大[たい · だい] 클 대 変[へん] 바뀔 변

03 N4

だいぶ

상당히

体(からだ)も だいぶ 良(よ)くなりました。

몸(건강)도 상당히 좋아졌습니다.

今年(ことし)は だいぶ 雨(あめ)が 降(ふ)った。

올해는 꽤 비가 많이 왔다.

なかなか와 비슷한 뜻으로 쓴다.

04 N5 とても

매우

とても 美(うつく)しく 見(み)えます。
매우 아름다워 보입니다.

とても よく できました。
아주 잘했습니다.

'도저히'란 뜻으로 쓰일 때는 뒤에 부정이 온다.

05 N4 なかなか

상당히, 좀처럼(+부정)

なかなか 面白(おもしろ)い 映画(えいが)でした。
꽤 재미있는 영화였습니다.

一般(いっぱん)の人(ひと)は なかなか 入(はい)れない所(ところ)です。
일반인은 좀처럼 들어갈 수 없는 곳입니다.

긍정일 때는 기대보다 낫다는 느낌.

06 N4 非常(ひじょう)に

매우

デパートは 非常(ひじょう)に 込(こ)んでいました。
백화점은 매우 붐볐습니다.

 '매우'에 해당하는 말

- とても … 보통 회화에서 많이 쓴다.
- 大変 … 격식을 갖춘 회화나 문장에서 많이 쓴다.
- 非常に … 회화에서 많이 쓴다.

부사 02 정도를 나타내는 말

07 N5 あまり

□
□

그다지

あまり おいしく ありませんでした。
그다지 맛있지 않았습니다.

あまりにも待(ま)たされて、怒(おこ)ってしまいました。
너무 오래 기다리게 해서 화를 내고 말았습니다.

주로 뒤에는 부정이 온다.

08 N4 けっこう

□
□

제법, 꽤

授業料(じゅぎょうりょう)は けっこう 高(たか)い ほうでした。
수업료는 꽤 비싼 편이었습니다.

今日(きょう)は けっこう 歩(ある)きました。
오늘은 제법(많이) 걸었습니다.

とても, ひじょうに 등과 함께 자주 쓰는 표현.

09 N4 ずっと

□
□

훨씬

実(じつ)は ずっと 前(まえ)から 知(し)っていました。
실은 훨씬 전부터 알고 있었어요.

ずっと 昔(むかし)の 話(はなし)です。
아주 옛날 이야기입니다.

부사지만 명사도 꾸미는 단어.

10
N4 **そんなに**

그다지(+부정), 그렇게

思(おも)ったより そんなに よくなかった。
생각보다 그다지 좋지 않았다.

そんなにいい所(ところ)ならば 私(わたし)も行(い)ってみたいね。
그렇게 좋은 곳이라면 나도 가보고 싶어.

'그런 식으로' 등으로도 해석할 수 있다.

11
N4 **特(とく)に**

특히, 그다지, 별로(+부정)

特(とく)に 気(き)を つけてください。
특히 조심해 주세요.

特(とく)に 珍(めずら)しい ものは なかった。
그다지 진귀한 것은 없었다.

特[とく] 특별할 특 特別(とくべつ) 특별

12
N5 **もっと**

더, 좀 더

もっと お金(かね)が かかると 思(おも)います。
좀 더 돈이 많이 들 것으로 생각됩니다.

来週(らいしゅう)は もっと 寒(さむ)くなる そうです。
다음 주에는 더 추워진다고 합니다.

もっともっと처럼 이중으로 쓰기도 한다.

많고적음을 나타내는 말

13 N5 □□

一杯(いっぱい)

가득

もう お腹(なか) 一杯(いっぱい)です。
이젠 아주 배부릅니다.

かばんの 中(なか)に 本(ほん)が 一杯(いっぱい) 入(はい)っている。
가방 안에 책이 가득 들어있다.

杯[はい] 술잔 배 乾杯(かんぱい) 건배

14 N5 □□

大勢(おおぜい)

여럿이(사람이 많은 것)

放送局(ほうそうきょく)に 人(ひと)が 大勢(おおぜい) 集(あつ)まっている。
방송국에 사람들이 많이 모여 있다.

大勢(おおぜい)の 人(ひと)が 集(あつ)まりました。
많은 사람들이 모였습니다. (명사형 용법)

大[たい・だい] 클 대 勢[せい] 세력 세

15 N5 □□

たくさん

많이

まだ たくさん 残(のこ)っています。
아직 많이 남아 있습니다.

もう たくさんです。
이것으로 충분합니다.

한자는 沢山으로 표기하기도 한다.

16
N4 **ちっとも**
□
□

전혀(+부정)

ちっとも 寒(さむ)くありません。
조금도 춥지 않습니다.

ちっとも 重(おも)くない。
전혀 무겁지 않다.

회화체 표현.

17
N5 **ちょっと**
□
□

조금, 잠깐

ちょっと これも 見(み)てください。
이것도 좀 봐 주십시오.

ちょっと 待(ま)ってください。
잠깐만요. (잠깐 기다려 주세요.)

「ちょっと…」 하고 사람을 부를 때도 쓴다.

18
N4 **ほとんど**
□
□

대부분, 거의

ほとんど 出来上(できあ)がりました。
거의 완성되었습니다.

ご飯(はん)は ほとんど 手(て)を つけていない。
밥은 거의 손을 대지 않았다.

殆ど로 표기하기도 하지만, 주로 가나로 표기한다.

부사 04 추측, 짐작을 나타내는 말

19 N4
だいたい

대강(명사), 대체로(부사)

だいたいの 問題(もんだい)は 解決(かいけつ)しました。
대부분의 문제는 해결되었습니다.

だいたい これくらいです。
대략 이런 정도입니다.

한자로는 **大体**로 표기한다.

20 N4
確(たし)か

아마

確(たし)か 山田(やまだ)という 名前(なまえ)でした。
아마 야마다라는 이름이었을 거예요.

確(たし)かに そうです。
틀림없이 그렇습니다. (조사 ‘に’가 붙으면 ‘틀림없이’)

確[かく] 확실할 확

21 N4
大抵(たいてい)

대개

社長(しゃちょう)も 大抵(たいてい)のことは 知(し)っていました。
사장님도 대강의 내용은 알고 있었습니다.

現代(げんだい) 小説(しょうせつ)なら 大抵(たいてい) 読(よ)んでいる。
현대소설이라면 대부분 다 읽었다.

大[たい・だい] 클 대 **抵**[てい] 거스를 저

22
N4 たぶん
□
□

아마

今夜(こんや)は たぶん 雪(ゆき)が 降(ふ)るでしょう。
오늘밤에는 아마 눈이 올 것 같아요.

たぶん과 おそらく
둘 다 '아마'란 뜻인데, たぶん은 긍정과 부정 모두 쓰이지만, おそらく는 그렇게 되는 것이 걱정이 되지만 '아마' '필시'라는 뉘앙스가 들어있다.

23
N2 まるで
□
□

마치

まるで 映画(えいが)のような 話(はなし)ですね。
마치 영화 같은 이야기군요.

まるで自分(じぶん)が主人公(しゅじんこう)になった気持(きも)ちでした。
마치 내가 주인공이 된 기분이었습니다.

「まるで~のように」 마치 ~처럼

24
N4 もし
□
□

만일, 만약

もし よろしければ、一緒(いっしょ)に 行(い)きませんか。
만일 괜찮으시면 함께 가지 않겠어요?

もし 雨(あめ)が 降(ふ)れば、どうしましょうか。
만일 비가 오면 어떻게 할까요?

もしも처럼 강조해서 표현하기도 한다.

05 짐작이나 판단을 나타내는 말

25 N4 **なるほど** — 과연

なるほどと 思(おも)いました。
과연 그렇구나 하고 생각했습니다.

なるほど、こうすれば 簡単(かんたん)ですね。
과연, 이렇게 하면 간단하군요.

단독으로 쓰면 '딴엔, 하긴, 그것도 그렇군'의 뜻.

26 N4 **本当(ほんとう)に** — 정말로

本当(ほんとう)に ありがとうございました。
정말 고맙습니다.

本当(ほんとう)に びっくりしました。
참으로 놀랐습니다.

本[ほん] 근본 본 当[とう] 마땅할 당

27 N4 **勿論(もちろん)** — 물론

勿論(もちろん) 数学(すうがく)よりは 音楽(おんがく)の方(ほう)が 好(す)きだ。
물론 수학보다는 음악을 좋아한다.

彼(かれ)は 勿論(もちろん)、彼女(かのじょ)も 行(い)きます。
그는 물론이거니와 그녀도 갑니다.

勿[もち] 아니 물 論[ろん] 말할 론

28
N4 **やっと**
□
□

겨우 = ようやく

やっと 窓(まど)が 開(あ)いた。
겨우 창문이 열렸다.

やっと できました
간신히 다했습니다. (완성했습니다.)

やっと見(み)つけた 겨우 찾았다

29
N4 **やはり**
□
□

역시

やはり 予想(よそう)した 通(とお)りでした。
역시 예상한 대로였습니다.

私(わたし)も やはり 同(おな)じことを 考(かんが)えていました。
저도 역시 같은 생각을 하고 있었습니다.

회화에서는 **やっぱり**라고도 한다.

30
N4 **割合(わりあい)(に)**
□
□

비교적 = 割(わり)と

割合(わりあい) いい 本(ほん)だと 思(おも)います。
비교적 좋은 책이라고 생각합니다.

テレビでは 割合(わりあい) 平穏(へいおん)に 見(み)えた。
TV에서는 비교적 평온해 보였다.

비슷한 표현 **わりと**(비교적)도 많이 쓴다.

부사 06 시간을 나타내는 말

31 N4

急に (きゅう)

급히, 갑자기

急(きゅう)に 用事(ようじ)が できました。
급히 볼일이 생겼습니다.

急(きゅう)に 雨(あめ)が 降(ふ)り出(だ)した。
갑자기 비가 오기 시작했다.

急[きゅう] 급할 급 **緊急(きんきゅう)** 긴급

32 N4

最近 (さいきん)

최근

これが 最近(さいきん) 人気(にんき)の ある 歌(うた)です。
이게 최근에 인기있는 노래입니다.

最近(さいきん) よく 眠(ねむ)れない。
요즘 잠이 잘 안 온다.

最[さい] 가장 최 **近[きん]** 가까울 근

33 N4

最後 (さいご)

최후, 마지막

最後(さいご)まで 頑張(がんば)りましょう。
마지막까지 열심히 합시다.

最後(さいご)は この曲(きょく)です。
마지막은 이 곡입니다.

最近, 最後는 명사이다.

34
N4 さっき
□
□

좀 전, 아까

さっき、林(はやし)さんから 電話(でんわ)が ありました。
아까 하야시 씨한테서 전화가 왔습니다.

さっきまで 教室(きょうしつ)に いましたよ。
좀 전까지 교실에 있었어요.

정중한 표현은 さきほど.

35
N5 すぐ(に)
□
□

곧

すぐ 行(い)きます。
곧 가겠습니다.

もうすぐ クリスマスです。
머지 않아 크리스마스입니다.

いますぐ 지금 당장

36
N4 ちょうど
□
□

정확히, 마침

ちょうど 12時(じゅうにじ)に なりました。
정각 12시가 되었습니다.

ちょうど いい 時(とき)に 来(き)てくれました。
마침 잘 오셨습니다.

시간과 쓰일 때는 '정각, 딱'이란 뜻이다.

부사 07 시간, 변화를 나타내는 말

37
N4 **まず**

우선 *한자는 先ず로 표기.

まず 手(て)を 洗(あら)ってください。
우선 손을 씻어 주세요.

まずは ビールから 飲(の)みましょう。
우선은 맥주부터 마십시다.

先[せん] 앞 선 先生[せんせい] 선생님

38
N5 **まだ**

아직

まだ 来(き)ておりません。
아직 안 왔습니다.

いや、まだまだです。
아니, 아직 멀었습니다.

まだまだ는 (실력 등이) 아직 충분하지 못하다는 뜻.

39
N4 **もう**

이미, 벌써, 이제

もう 終(お)わりだね。君(きみ)が 小(ちい)さく 見(み)える。
이제 끝이야. 네가 작게 보여. (노래가사)

もう こんな 時間(じかん)ですか。
벌써 시간이 이렇게 됐어요?

もういちど 한번 더

40
N3 **しばらく**
□
□

잠깐, 잠시

しばらく お待(ま)ち下(くだ)さい。
잠시 기다려 주십시오.

しばらくの間(あいだ)、会(あ)えなかった。
한동안 못 만났다. (명사적으로 사용)

한자로는 **暫く**로 표기한다.

41
N5 **だんだん**
□
□

점점 (차츰 변화하는 모양)

だんだん 空(そら)が 暗(くら)くなった。
점차 하늘이 어두워졌다.

*だんだん*과 *どんどん*

だんだん … 차츰차츰, 점점 바뀌는 것.
どんどん … 자꾸자꾸, 변화속도가 빠른 것.
「*だんだんだんだん*」처럼 반복해서 말하기도 한다.

42
N4 **とうとう**
□
□

드디어

とうとう 試験(しけん)の 結果(けっか)が 出(で)ました。
드디어 시험 결과가 나왔습니다.

とうとう 別(わか)れてしまった。
마침내 헤어지고 말았다.

비슷한 표현 : **やがて** 이윽고, 드디어

부사 08 빈도를 나타내는 말

43
N5
いつも

항상

彼女(かのじょ)は いつも この時間(じかん)に 来(き)ます。
그녀는 항상 이 시간에 옵니다.

母(はは)は いつも 笑顔(えがお)で 迎(むか)えてくれました。
어머니는 항상 웃는 얼굴로 맞아주었습니다.

いつものように 늘 그랬던 것처럼

44
N4
たまに

가끔 ↔ しょっちゅう

わたしも たまにしか 会(あ)えません。
저도 가끔씩밖에 못 만납니다.

たまには パンも いい。
가끔은 빵도 좋다.

たまたま 어쩌다 보니, 우연히

45
N1
しょっちゅう

자주, 빈번히

こんな ニュースは しょっちゅう 耳(みみ)に するものです。
이런 종류의 뉴스는 늘 접하는 것입니다.

しょっちゅう 通(かよ)う お店(みせ)です。
자주 들르는 가게입니다.

속어표현이다. 동의어는 **いつも**이다.

46 ときどき
N5 時々

가끔, 때때로

時々(ときどき)、主人(しゅじん)と 映画(えいが)を 見(み)に 行(い)きます。
가끔 남편과 영화를 보러 갑니다.

47
N4 よく

잘, 자주

冷(つめ)たく 見(み)えると よく 言(い)われます。
차갑게 보인다는 소리를 자주 듣습니다.

よく 読(よ)んでみて ください。
잘 읽어 보세요.

48
N2 めったに

거의, 좀처럼(+부정)

こんな チャンスは めったに 来(こ)ない。
이런 찬스는 좀처럼 오지 않아.

49 ぜんぜん
N4 全然

전혀(+부정)

全然(ぜんぜん) かまわない。 전혀 상관없어.

全然(ぜんぜん) 心配(しんぱい)しないでください。
전혀 걱정하지 마세요.

全[ぜん] 온전 전 然[ぜん · ねん] 그럴 연

부사 09 **묘사나 동작을 나타내는 말**

50 N5 **色々** (いろいろ)

여러 가지

色々な 考え方が あります。(いろいろ, かんが, かた)
여러 가지 사고방식이 있습니다.

色々 持ってきました。(いろいろ, も)
이것저것 가져왔습니다.

いろいろと(여러가지로)도 많이 쓰는 표현이다.

51 N4 **しっかり**

꽉

ドアは しっかり 閉めてください。(し)
문은 꽉 잠그세요.

しっかりしろ。
정신 (똑바로) 차려라! / 정신 차려!

しっかりした人(ひと) 똑부러지는 사람

52 N4 **すっかり**

완전히

すっかり 忘れていました。(わす)
완전히 잊고 있었습니다.

風邪は もう すっかり 治りました。(かぜ, なお)
감기는 완전히 다 나았습니다.

'말끔히, 깨끗이'란 뉘앙스가 들어있다.

53 N4 **そろそろ**

슬슬

そろそろ 帰(かえ)りましょうか。
슬슬 돌아갈까요?

そろそろ 冬(ふゆ)が 始(はじ)まりそうだ。
이제 겨울이 시작될 것 같다.

54 N4 **はっきり**

확실하게

曇(くも)って、はっきり 見(み)えない。
흐려서 확실히 보이지 않는다.

はっきりした 方(ほう)が いいでしょう。
확실히 하는 것이 좋겠죠.

55 N5 **まっすぐ**

똑바로

この道(みち)を まっすぐ 行(い)ってください。
이 길을 곧장 가 주세요.

56 N5 **ゆっくり**

천천히

もう少(すこ)し ゆっくり 話(はな)してください。
좀더 천천히 말해 주세요.

ゆっくり 休(やす)む 푹 쉬다

부사 10 필요, 의무를 나타내는 말

57 N4
必ず(かならず)

반드시 ≒ きっと

必ず(かならず) 成功(せいこう)して 見(み)せるぞ。
반드시 성공해 보일 거야.

必ず(かならず) あるはずだ。
반드시 있을 것이다.

必[ひつ] 반드시 필

58 N4
決して(けっして)

결코(+부정) = 絶対(ぜったい)

彼(かれ)のことは 決(けっ)して 言(い)わないでください。
그 사람 얘기는 절대 하지 마세요.

決(けっ)して 一人(ひとり)で 行(い)っては いけない。
결코 혼자 가서는 안돼.

決[けつ · けっ] 정할 결 決心[けっしん] 결심

59 N3
是非(ぜひ)

반드시

是非(ぜひ)、お願(ねが)いします。
꼭 부탁드립니다.

是非(ぜひ) 遊(あそ)びに 来(き)てください。
꼭 놀러 오세요.

是[ぜ] 옳을 시 非[ひ] 아닐 비

60
N4 **なるべく**
□
□

가급적이면

なるべく 早(はや)く 来(き)てください。
가능한 한 빨리 와 주세요.

なるべく 急(いそ)ぎましょう。
가급적 서두릅시다.

비슷한 표현 : できるだけ, できるかぎり

61
N5 **いくら**
□
□

아무리 ~라도 (+ても/でも)

いくら 先生(せんせい)でも 分(わ)からないこともある。
아무리 선생님이라도 모르는 것이 있다.

いくら 勉強(べんきょう)しても 分(わ)からない。
아무리 공부해도 모르겠다.

これはいくらですか? 이건 얼마예요?

きっと와 必(かなら)ず와 絶対(ぜったい)

추측할 때 きっと는 주관적 판단, 必(かなら)ず나 絶対(ぜったい)는 좀더 강한 확신이 가는 객관적인 판단에 많이 사용한다. 또, 必(かなら)ず는 긍정에만 쓰지만, 絶対(ぜったい)는 긍정, 부정 모두 쓸 수 있다.

- きっと 合格(ごうかく)するよ。 꼭 합격할 거야.
- 必(かなら)ず うまく 行(い)くはずだ。 반드시 잘 될 것이다.
- あの人(ひと)は 絶対(ぜったい)に 行(い)かないよ。
  그 사람은 절대 안 갈 거야.

부사 11 그밖에 자주 쓰는 표현

62 N4 **例(たと)えば**

예를 들어

例(たと)えば 私(わたし)が 彼(かれ)ならば、こうする。
만일 내가 그 사람이라면 이렇게 하죠.

これは 例(たと)えばの 話(はなし)です。
이건 만일의 경우입니다. (명사적 용법)

例[れい] 본보기 례 **例文[れいぶん]** 예문

63 N5 **どう**

어떻게, 아무리

映画(えいが)は どうでしたか。
영화는 어떻던가요?

どう 見(み)ても ３０才(さんじゅっさい)には 見(み)えない。
아무리 봐도 서른 살로는 안 보인다.

どう 見ても 아무리 봐도

64 N5 **どうして**

어떻게, 어째서

どうして いいか 分(わ)からなくなった。
어떻게 해야 좋을지 모르겠다.

どうして 持(も)って来(こ)なかったんですか。
어째서(왜) 안 갖고 왔어요?

의문으로 쓰일 때는 **なぜ**(왜)와 같다.

65
N5 **また**

또, 또다시

では、また 会(あ)いましょう。
그럼, 또 다시 만납시다.

じゃ、また あした。
그럼, 내일 또 봐. (헤어질 때)

한자는 又로 표기한다.

66
N5 **どうぞ**

아무쪼록

どうぞ よろしく お願(ねが)いします。
아무쪼록 잘 부탁드립니다.

どうぞ、ごゆっくり。
편히 쉬십시오.

상대방에게 어떤 행동을 권할 때도 많이 쓴다.

67
N4 **どうも**

대단히

どうも ありがとうございました。
대단히 감사합니다.

どうも 失礼(しつれい)しました。
매우 실례했습니다.

どうぞ와 짝으로 자주 쓰는 말.

부사

확인문제

※ 다음 (　　) 안에 들어갈 적당한 부사를 고르시오.

① すぐ	② ちっとも	③ しっかり	④ すっかり	⑤ なかなか
⑥ あまり	⑦ ずっと	⑧ とても	⑨ ぜひ	⑩ いくら

1. あの映画は（　　）おもしろくなかったです。
2. （　　）待っても彼女は来ませんでした。
3. バスが（　　）来ませんでした。
4. 彼女はまだ高校生なのに（　　）しています。
5. レポートのことは（　　）忘れていました。
6. 先週から（　　）雨が降っています。
7. （　　）もどってきますからちょっと待っていてください。
8. アメリカへ来たら（　　）連絡してください。
9. この本は（　　）おもしろいです。
10. そんなのは（　　）うらやましくないわ。

정답

1. ②,⑥	2. ⑩	3. ⑤	4. ③	5. ④
6. ⑦	7. ①	8. ⑨	9. ⑤,⑧	10. ②

※ 다음 (　　) 안에 들어갈 적당한 부사를 고르시오.

⑪ やっと	⑫ やはり	⑬ わりあい	⑭ ほとんど	⑮ たまに
⑯ もし	⑰ ゆっくり	⑱ とうとう	⑲ まだ	⑳ たぶん

부사

11. A：ひるごはんはもう食べましたか。
B：いいえ、(　　)です。

12. (　　) 見えなくなってしまいました。

13. A：彼一人で全部できますか。
B：(　　) 無理でしょう。

14. わたしは (　　) 一人で旅行をします。

15. テストがむずかしくて (　　) わからなかったんです。

16. (　　) わからないことがあったら質問してください。

17. 卒業試験が (　　) 終わりました。

18. (　　) ビールは生ビールがおいしいですね。

19. かぜのときは (　　) 休んだほうが いいですよ。

20. 今日は (　　) 訪問客が多いです。

정답 11. ⑲　12. ⑱　13. ⑳　14. ⑮　15. ⑭
16. ⑯　17. ⑪　18. ⑫　19. ⑰　20. ⑬

부사 종합문제

※ 밑줄 친 곳에 들어갈 가장 자연스러운 말을 고르시오.

1. ドアは ＿＿＿＿＿ 閉めましたか。

① ゆっくり　② すっかり
③ しっかり　④ 必ず

2. 今年は ＿＿＿＿＿ 雪が降りました。

① だいぶ　② なかなか
③ やっと　④ たいへん

3. ＿＿＿＿＿ 子想通(どお)りでした。

① はっきり　② やはり
③ ずっと　④ なかなか

4. ＿＿＿＿＿ 会議が始まりそうです。

① まず　② そろそろ
③ さっき　④ たまに

5. ＿＿＿＿＿ 午後7時なのに子供たちはすでに寝ている。

① もう　② また
③ まだ　④ そろそろ

6. ＿＿＿＿＿ お疲れさまでした。

① 大抵　② どうも
③ とても　④ もっと

7. 明日は ________ 雨が降るでしょう。

① もし　　② だんだん
③ ちょうど　　④ たぶん

8. 走らないで ________ 歩きましょう。

① だんだん　　② まっすぐ
③ 急に　　④ ゆっくり

※ 밑줄 친 곳에 들어갈 가장 부자연스러운 말을 고르시오.

9. 彼の小説は ________ 読んでいる。

① 大抵　　② ほとんど
③ 時々　　④ どうも

10. ________ お待ちください。

① しばらく　　② ちょっと
③ すこし　　④ まだ

11. ________ 映画を見に行きます。

① 時々　　② たまに
③ しばらく　　④ よく

정답 1. ③ 2. ① 3. ② 4. ② 5. ③ 6. ②
7. ④ 8. ④ 9. ④ 10. ④ 11. ③

팬티(パンティー)와 판츠(パンツ)

'바지'나 '팬티'를 가리키는 말은 여러가지가 있는데, 일반적으로 「ショーツ」는 「ショートパンツ」라고도 하며 「半(はん)ズボン」(반바지)을 가리키는 말이지만, 요즘은 '부인용 속옷(팬티)'이란 뜻과 함께 「パンティー」라고도 부른다.

한편, 「ブリーフ」는 몸에 딱 붙는 남성용 팬티(주로 삼각형 팬티)를 가리키고, 사각형의 헐렁한 복싱복 스타일의 팬티는 「トランクス」(트렁크)라고 한다.

예전에는 이러한 속내의(下着したぎ)를 총칭하는 「パンツ」라는 말이 사용되었지만, 요즘에는 그런 의미는 퇴색되었고, 대신 '바지'라는 뜻으로 많이 쓰이고 있다.

예를 들어 정장(スーツ)의 경우에는 「上着(うわぎ)とズボン」(상의와 바지)이라고 하는 것보다, 「ジャケットとパンツ」(재킷과 팬츠)라고 표현하는 것이 훨씬 젊고 세련된 느낌이 든다고 할 수 있다. 또 청바지도 일본어로는 ジーパン(ジーンズパンツ)라고 한다.

「パンティー」는 여성용 팬티를, 「パンツ」는 바지, 사각팬티는 「トランクス」로 구분해서 쓰지 않으면, 와이셔츠에 팬티나, 남자가 여성용 팬티를 입는 웃지 못할 표현이 될 수도 있다.

05
접속사 · 의문사

접속사 01 앞뒤 문장을 이어주는 말 (긍정)

01
N2 あるいは
□
□

혹은, 또는

明日(あした)は 雨(あめ) あるいは 雪(ゆき)が ふるそうだ。
내일은 비 혹은 눈이 온다고 한다.

ひらがな あるいは 漢字(かんじ)で 書(か)いてください。
히라가나 또는 한자로 써 주세요.

한자로는 **或いは**로 표기한다.

02
N4 すると
□
□

그러자, 그러면

すると、弟(おとうと)が 大(おお)きい声(こえ)で 泣(な)き出(だ)した。
그러자 동생이 큰 소리로 울기 시작했다.

すると、彼女(かのじょ)と 別(わか)れるつもり?
그러면, 그녀랑은 헤어질 생각이야?

そうすると(그렇게 하자, 그렇다면)로도 쓴다.

03
N4 そして
□
□

그리고

雨(あめ)が 止(や)んだ。そして 青空(あおぞら)が 広(ひろ)がった。
비가 그쳤다. 그리고 푸른 하늘이 펼쳐졌다.

卒業(そつぎょう)と 就業(しゅうぎょう) そして 結婚(けっこん)まで 一年(いちねん)も かからなかった。
졸업과 취업 그리고 결혼까지 1년도 걸리지 않았다.

04
N4 **それから**
□
□

그리고

フランス、それからイタリアも旅行(りょこう)しました。
프랑스 그리고 이탈리아도 여행했습니다.

05
N4 **それで**
□
□

그런 까닭으로, 그래서

お金(かね)をなくした。それで家(いえ)まで歩(ある)いて来(き)た。
돈을 잃어버렸다. 그래서 집까지 걸어왔다.

それで その人(ひと)は どうしたの?
그래서 그 사람은 어떻게 됐어?

줄여서 で라고도 한다.

06
N4 **それに**
□
□

게다가

頭(あたま)が 痛(いた)い。それに 熱(ねつ)も ある。
머리가 아프다. 게다가 열도 있다.

06
N4 **だから**
□
□

그러니까

だから 今(いま)は なにも 言(い)えないんだよ。
그러니까 지금은 아무것도 말할 수 없어.

반말체이므로 정중한 문장에서는 ですから.

접속사 02 **앞뒤 문장을 이어주는 말** (역접)

08
N4 **それほど**

그 정도로

それほど 大(たい)した ことでは ありません。
그다지 중요한 일이 아닙니다.

それほどでも ありません。
그 정도는 아닙니다.

명사적인 용법으로도 쓴다.

09
N3 **けれど(も)**

하지만

時間(じかん)は ある。けれども お金(かね)が ない。
시간은 있다. 하지만 돈이 없다.

顔(かお)は きれいだ。けれども 頭(あたま)は 悪(わる)い。
얼굴은 예쁘다. 하지만 머리는 나쁘다.

~ですけど, ~ますけど(けれども)로도 쓰인다.

10
N4 **しかし**

그러나

しかし、その意見(いけん)には 反対(はんたい)です。
그러나 그 의견에는 반대입니다.

しかし 契約(けいやく)は 成(な)り立(た)ちにくい。
그러나 계약은 성사되기 어렵다.

でも(하지만)보다 약간 강한 느낌을 준다.

11
N5 **でも**

하지만, 그러나

みんな行(い)きたがっている。でも行(い)きたくない。

모두들 가고 싶어한다. 하지만 가고 싶지 않다.

食(た)べたくないの? でも 少(すこ)し 食(た)べなきゃ だめよ。

먹고 싶지 않아? 그래도 좀 먹어야지.

'그래도…'란 뜻으로 단독으로도 많이 쓴다.

12
N3 **だが**

하지만

もっと 長(なが)く いたい。だが もう 帰(かえ)らなければ ならない。

더 오래 있고 싶어. 하지만 이젠 돌아가야 해.

しかし, そして, だが 등은 약간 딱딱한 말투이다.

13
N2 **ところが**

그런데, 그러나

彼(かれ)に そんな ことが できるかと 思(おも)った。ところが、彼(かれ)は りっぱに やりこなした。

그가 그런 일을 할 수 있을까 하고 생각했다. 하지만, 그는 훌륭하게 해냈다.

ところで 그런데

접속사 03 화제를 바꿀 때 쓰는 말

14
N2 **さて**

그런데, 한편, 그럼

さて、これからは どうするんですか。
그런데, 앞으로는 어떻게 하죠?

さて、次(つぎ)は どなたさまですか。
그럼, 다음은 어떤 분이신가요?

회화, 문장 모두 많이 쓰인다.

15
N4 **それでは**

그럼

それでは 始(はじ)めます。
그럼 시작하겠습니다.

それでは 読(よ)んでみましょうか。
자, 읽어볼까요?

회화에서는 **それじゃ**로도 많이 쓴다.

16
N2 **ところで**

그런데

ところで、社員(しゃいん)の反対(はんたい)は どうしますか。
그런데, 사원들의 반대는 어떻게 하죠?

ところで、あのときかかってきた電話(でんわ)だけど…
그런데, 그때 걸려온 전화 말인데…

화제를 전환할 때.

ところで、あのとき
かかってきた電話(でんわ)だけど…

의문을 나타내는 말

17
N4
いかが

어떻게(부사) = どう

これは いかがですか。
이것은 어떻습니까?

ご気分(きぶん)は いかがですか。
기분은 어떠신가요?

どう보다는 문어체적이며 격식을 차린 말투.

18
N5
いくつ

몇 개(명사)

いくつ ほしいですか。
몇 개를 원하시나요?

おいくつですか。
몇 살이신가요? (관용표현)

いくつも 몇 개나

19
N5
いくら

얼마(명사)

この スカートは いくらですか。
이 스커트는 얼마입니까?

ボールペンなら、いくらか あります。
볼펜이라면 몇 개 있습니다.

いくらでも 얼마든지

20 N5 **いつ**

언제(명사)

お誕生日(たんじょうび)は いつですか。
생일은 언제이신가요?

山登り(やまのぼり)は いつ しますか。
등산은 언제 하시나요?

いつか 언젠가

21 N5 **どこ**

어디(명사)

ここは どこですか?
여기는 어디인가요?

運動会(うんどうかい)は どこで 開(ひら)かれますか。
운동회는 어디서 열리나요?

どこどこの だれだれ 어디어디의 누구누구

22 N5 **どなた**

누구(명사)

どなたが 佐藤(さとう)さんですか。
어느 분이 사토 씨인가요?

どなたでも 構(かま)いません。
어느 분이라도 괜찮습니다.

どちらさまですか? 누구세요?

의문사 05 의문을 나타내는 말

23 N5 **なぜ**

왜

なぜ 会社(かいしゃ)を やめたんですか。
왜 회사를 그만두었나요?

なぜ これが 私(わたし)の 責任(せきにん)になるんですか。
왜, 이게 제 책임입니까?

なぜかというと 왜냐하면

24 N5 **どうして**

어째서 (부사)

どうして そんなに 思(おも)ったんですか。
어째서 그렇게 생각했어요?

どうして 言(い)ってくれなかったんですか。
왜 말해 주지 않습니까?

どうして?(왜) 단독으로로 많이 쓴다. 회화체.

25 N2 **なんで**

왜

なんで そんな こと するの?
왜 그런 일을 해?

なんでですか。
왜요? (회화체)

회화에서 자주 쓰는 표현.

どうして　そんなに
思(おも)ったんですか。

접속사 **종합문제**

※ 밑줄 친 곳에 들어가지 못할 부적당한 말을 고르시오.

1. お金はある。＿＿＿＿＿、時間がない。

① しかし　② けれども
③ だが　④ そして

2. とても暑かった。＿＿＿＿＿、海に行った。

① だから　② それに
③ それで　④ で

3. いろんな国に行ってみたい。＿＿＿＿＿、お金がない。

① でも　② だが
③ それほど　④ しかし

4. ＿＿＿＿＿、私に言わなかったの。

① どうして　② なぜ
③ なんで　④ だから

5. 果物なら ＿＿＿＿＿ 食べられます。

① なんでも　② いくつでも
③ いくたでも　④ どうしてでも

정답　1. ④　2. ②　3. ③　4. ④　5. ④

※ 밑줄 친 곳에 들어갈 적당한 말은?

1. 頭が痛い。＿＿＿＿＿ 熱もある。

① それでは　② だから

③ でも　④ それに

2. アメリカ、＿＿＿＿＿ メキシコにも行った。

① すると　② そして

③ それほど　④ けれども

3. 金さんは今年お ＿＿＿＿＿ ですか。

① いくら　② いくつ

③ いかが　④ いつ

4. みなさんごきげん ＿＿＿＿＿ですか。

① いかが　② いくつ

③ どう　④ どうして

5. ＿＿＿＿＿ そろそろ始めましょうか。

① それで　② それでは

③ それから　④ それでも

접속사

정답 1. ④ 2. ② 3. ② 4. ① 5. ②

宅配便(たくはいびん)과 宅急便(たっきゅうびん)

급하게 물건이나 서류를 보낼 때 우선 떠올리게 되는 것이 '퀵서비스'이다. 퀵서비스는 주로 오토바이를 이용해서 물품 등을 당일내에 전달해주는 편리한 서비스로서 처음에는 특정회사의 서비스상품명으로 출발했지만, 이제는 한국의 오토바이 택배업의 대명사로서 자리매김했다고 할 수 있다.

한편 일본의 宅配(たくはい) 서비스는 쇼와(昭和) 48년(1973년)부터 시작되었으며, 현재 「クロネコ」(검은 고양이), 「カンガルー」(캥거루) 「ペリカン」(펠리컨; 사다새) 등, 주로 동물을 캐릭터(キャラクター)로 삼는 회사가 주축이 되어 「午後集荷, 深夜幹線運行, 익일 午前配達」이라는 패턴의 서비스를 제공하고 있다.

또, 일본의 매스컴(マスコミ)이나 거리에서 자주 볼 수 있는 「宅急便(たっきゅうびん)」이란 말은 宅配(たくはい)사업자 중에서도 가장 두각을 나타내고 있는 「やまと運輸(うんゆ)」의 상품명이다.

그러므로 日本通運의 ペリカン便(びん)을 이용할 때 「宅急便(たっきゅうびん)を おねがいします。」(탁큐편으로 보내 주세요.)라고 하면 失礼(しつれい)가 되므로 「宅配便(たくはいびん)をおねがいします」라고 해야 한다.

06
조사

조사 01 **필수 암기 조사**

01

□ **が**
□

~까, ~이나, ~지

体の具合が悪いんじゃないですか。
(からだ / ぐあい / わる)

어디 몸 아픈 것 아니에요?

結婚するか留学するかまよっています。
(けっこん / りゅうがく)

결혼할지 유학 갈지 망설이고 있습니다.

体の具合が悪い 몸이 안좋다, 아프다(관용구)

02

□ **が**
□

~이/가

僕があなただったらあの人とは別れます。
(ぼく / ひと / わか)

내가 당신이라면 그 사람과 헤어질 겁니다.

だれがなんといっても。

누가 뭐라 해도.

주격조사.

03

□ **から**
□

~로부터, ~이기 때문에

ソウルから釜山まで汽車で行きました。
(プサン / きしゃ / い)

서울에서 부산까지 기차로 갔습니다.

雨が降りますから、中に入りましょう。
(あめ / ふ / なか / はい)

비가 오니까, 안에 들어갑시다.

~からです(~하기 때문입니다)로도 많이 쓴다.

04
□ □ くらい

정도

これくらいの 漢字(かんじ)は 読(よ)める べきだ。
이 정도 한자는 읽을 수 있어야 한다.

どれくらい 時間(じかん)が かかるでしょうか。
어느 정도 시간이 걸릴까요?

ぐらい로 표기하기도 한다.

05
□ □ けど

지만 (≒けれでも)

野菜(やさい)は 好(す)きですけど、肉(にく)は 嫌(きら)いです。
야채는 좋아하지만 고기는 싫어합니다.

まだ 5時(ごじ)ですけど、外(そと)は もう 暗(くら)いです。
아직 5시인데, 밖은 벌써 어둡습니다.

반말표현에서는 ~(명사)だけど로도 많이 쓴다.

06
□ □ こそ

~야말로, ~만은(강조)

こちらこそ よろしく お願(ねが)いいたします。
저야말로 잘 부탁드립니다.

今度(こんど)こそ 必(かなら)ず 成功(せんこう)するよ。
이번에야말로 반드시 성공할 거야.

「あってこそ」(있어야만)처럼 동사와도 쓴다.

필수 암기 조사

07
□
□
さえ

조차, ~만 (뒤에 ~ば가 옴)

子供(こども)さえ 知(し)っている ことです。
어린아이조차 알고 있는 것입니다.

あなたさえ 分(わか)ってくれれば それでいい。
너만 알아준다면 그걸로 족해.

'~조차, 마저'의 뜻일 때는 약간 부정적 뉘앙스.

08
□
□
し

~기도 하고 (열거)

山下(やました)さんは 頭(あたま)も いいし ハンサムだ。
야마시타 씨는 머리도 좋고 잘 생겼다.

今日(きょう)は 雨(あめ)も 降(ふ)っているし 風(かぜ)も 強(つよ)いですね。
오늘은 비도 오고 바람도 강하군요.

주로 이유를 설명하거나 열거할 때 많이 쓴다.

09
□
□
しか

~밖에 (+부정)

こづかいは 月(つき) 2万円(にまんえん)しか もらっていない。
용돈은 한달에 2만엔밖에 못 받는다.

今(いま)は これしか 残(のこ)っていない。
지금은 이것밖에 남아 있지 않다.

「동사기본형+しかない」는 '~할 수밖에 없다'는 뜻.

10
☐☐ ずつ

～씩

これ 5部(ごぶ)ずつ コピーしてください。
이것 5부씩 카피해 주세요.

少(すこ)しずつ よく なっています。
조금씩 좋아지고 있습니다.

少しずつ 조금씩

11
☐☐ だけ

～(뿐)만

お金(かね)だけが すべてではない。
돈만이 전부는 아니다.

できるだけ たくさん 読(よ)んでください。
가능한 한 많이 읽어 주십시오.

주로 だけ는 긍정문에, しか는 부정문에 쓰인다.

12
☐☐ たり

～하거나 (열거)

週末(しゅうまつ)には 映画(えいが)を 見(み)たり、ショッピングを したりします。
주말에는 영화를 보거나 쇼핑을 합니다.

じゃがいもは 焼(や)いたり、むしたりして 食(た)べます。
감자는 굽거나 쪄서 먹습니다.

조사 03 필수 암기 조사

13 □□ て

~하고, 해

風(かぜ)が 強(つよ)くて ガラスが 割(わ)れました。
바람이 강해서 유리가 깨졌습니다.

のどが かれて 声(こえ)が 出(で)ない。
목이 쉬어서 소리가 나오지 않는다.

ている,てある,てくる 등 다양하게 쓰인다.

14 □□ で

~에서(장소), ~로(수단)

美術館(びじゅつかん)で 待(ま)ち合(あ)わせする ことに した。
미술관에서 만나기로 했다.

お金(かね)で 解決(かいけつ)しようと 思(おも)わないでください。
돈으로 해결하려고 생각하지 마세요.

자격의 '~로서'는 「として」.

15 □□ てから

~하고 나서

まず 見積(みつ)もりを 見(み)てから 話(はな)しましょう。
우선 견적서를 보고 나서 이야기합시다.

この本(ほん)を 読(よ)んでから どう 思(おも)いましたか。
이 책을 읽고 나서 어떻게 생각하셨습니까?

てから, て 모두 동작의 순서를 나타낸다.

16
□□ でも

~라도

お茶(ちゃ)でも 飲(の)みに 行(い)きませんか。

차라도 마시러 가지 않을래요?

誰(だれ)でも 知(し)っている ことです。

누구든지 아는 것입니다.

なんでも, だれでも, どこでも, いつでも, いくらでも

17
□□ と

~와, ~라고(인용)

彼女(かのじょ)と 私(わたし)は 中学以来(ちゅうがくいらい)の 友達(ともだち)です。

그녀와 나는 중학교 때부터 친구입니다.

山下(やました)ともうします。よろしくお願(ねが)いします。

야마시타라고 합니다. 잘 부탁드립니다.

~という ~라고 하다

18
□□ とか

~라든지(열거)

なしとか リンゴとかの 果物(くだもの)が 好(す)きです。

배라든지 사과 같은 과일을 좋아합니다.

カナダとか イギリスとかに 行(い)ってみたい。

캐나다라든지 영국 같은 데 가고 싶다.

いくとか(간다든지)처럼 동사에도 연결된다.

조사 04 필수 암기 조사

19 □□ **として**

~로서(자격)

先輩(せんぱい)として 一言(ひとこと) もうしあげます。
선배로서 한 말씀 드리겠습니다.

今日(きょう)は 学生(がくせい)として 参加(さんか)しました。
오늘은 학생으로서 참가했습니다.

명사를 꾸밀 때는 「~としての」(~로서의).

20 □□ **ながら**

~하면서

勉強(べんきょう)しながら、音楽(おんがく)を 聞(き)きます。
공부하면서 음악을 듣습니다.

ながら族(ぞく)。 나가라 족 (造語)
(동시에 두가지 일을 하는 젊은이를 빗댄 말)

末筆(まっぴつ)ながら 끝으로(편지글)

21 □□ **な**

~하지마, ~구나, 지 등 = ね

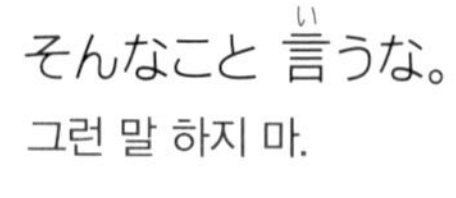

そんなこと 言(い)うな。
그런 말 하지 마.

そうかも しれないな。
그럴지도 모르지.

な(~구나, ~지)는 주로 회화체에서 많이 쓰인다.

22
□
□ **など**

~등

ラーメンなど インスタント食品(しょくひん)は 体(からだ)に 悪(わる)いです。

라면 등 인스턴트 식품은 몸에 안 좋습니다.

等々(などなど) 등등

23
□
□ **なら**

~라면

君(きみ)なら どうする?

너라면 어떡하겠어?

日本(にほん)の 漫画(まんが)なら 大体(だいたい) 読(よ)んでいます。

일본 만화라면 거의 다 읽고 있습니다.

ば, たら, と와 함께 가정형에서 쓰는 말.

24
□
□ **に**

~에, 로(장소, 시간)

テーブルの 上(うえ)に コップが あります。

테이블 위에 컵이 있습니다.

私(わたし)は 1980年(ねん)に 釜山(プサン)で 生(う)まれました。

저는 1980년에 부산에서 태어났습니다.

~になる ~가 되다

조사 05 필수 암기 조사

25
□
□ ね

~군요, 구나 등

たまには 旅行(りょこう)に 行(い)くのも いいよね。
가끔은 여행 가는 것도 좋겠지.

あら、へんな 帽子(ぼうし) かぶっているね。
어머, 이상한 모자 쓰고 있네.

~からね(~니까) ~てね(~해줘)로도 많이 쓴다.

26
□
□ の

~의, ~의 것

ある日(ひ)の朝(あさ) ちょうど お日(ひ)さまが のぼるころ。
어느 날 아침 막 해님이 떠오를 무렵.

この かばんは 私(わたし)のでは ありません。
이 가방은 제 것이 아닙니다.

이밖에 주격으로, 의문종조사 등으로도 쓰인다.

27
□
□ ので

~니까(이유)

今日(きょう)は 寒(さむ)いので 早(はや)く 帰(かえ)りましょう。
오늘은 추우니까 빨리 돌아갑시다.

あしたは そちらに 行(い)きますので よろしく。
내일은 그쪽으로 가니까 잘 부탁해요.

から와 같은 뜻이나 좀더 부드러운 표현.

28
□
□ **のに**

~하는데

早(はや)く 寝(ね)たのに、まだ ねむい。
빨리 잤는데 아직 졸리다.

明日(あした) テストなのに、何(なに)も勉強(べんきょう)していない。
내일 시험치는데 아무것도 공부하지 않았다.

「~ので」는 이유, 「~のに」는 역접을 나타낸다.

29
□
□ **は**

~은/는

わたしは 韓国(かんこく)から 来(き)ました。
저는 한국에서 왔습니다.

あくる日(ひ) 王子(おうじ)さまは また やって来(き)ました。
다음날 왕자님은 또 찾아왔습니다. (어린왕자 중에서)

글자와 발음이 다른 것 「は」「へ」 두 개이다.

30
□
□ **ば**

~면(가정)

見(み)れば すぐ わかると 思(おも)います。
보면 바로 알 수 있을 겁니다.

そう 言(い)われてみれば それも そうだね。
그러고 보니(듣고 보니) 그것도 그렇군.

すれば するほど 하면 할수록

조사 06 **필수 암기 조사**

31
□ ばかり
□

정도, 가량

水(みず)が 半分(はんぶん)ばかり 残(のこ)っている。
물이 반 정도 남아있다.

お金(かね)ばかりでは 幸(しあわ)せに なれない。
돈만으로는 행복해질 수 없다.

긍정적인 뉘앙스, 부정적인 뉘앙스 모두 쓰인다.

32
□ へ
□

~로(방향)

これから どこへ 行(い)きますか。
이제 어디로 가요?

母(はは)への 手紙(てがみ)。
어머니께 보내는 편지.

어머니로부터 온 편지는 「母からの手紙」.

33
□ ほど
□

~쯤, 만큼

仕事(しごと)が 山(やま)ほど ある。
일이 산더미같다.

もう 二度(にど)と これほど 愛(あい)せない。
이젠 다시 이렇게(이만큼) 사랑할 수 없어.

「くらい, ばかり」와 묶어서 의미를 알아두자.

34
□ まで
□

~까지

いったい どこまで 行(い)ったんですか。
도대체 어디까지 갔어요?

展示会(てんじかい)は いつまでですか。
전시회는 언제까지예요?

~から ~まで ~부터 ~까지

35
□ も
□

~도

鈴木(すずき)さんも おなじことを 言(い)いました。
스즈키 씨도 같은 말을 했습니다.

だれもが 知(し)っていること。
누구나 다 아는 일.

いつも(언제나) どれも(어느것이나 다)

36
□ や
□

~나, 랑(열거)

とり肉(にく)や 豚肉(ぶたにく)などは ひかえてください。
닭고기나 돼지고기 등은 삼가해 주세요.

被害者(ひがいしゃ)は お年(とし)よりや こどもだけだった。
피해자는 노인이나 아이들뿐이었다.

~や ~や(など) ~나 ~나(등)

조사 07 필수 암기 조사

37 □□ **より**

~보다, ~로부터

めんより ご飯(はん)が 好(す)きです。
면보다 밥이 좋습니다.

9時(くじ)より 開会式(かいかいしき)が 始(はじ)まります。
9시부터 개회식이 시작됩니다.

'~부터'의 뜻은 「から」보다 약간 딱딱한 느낌을 준다.

38 □□ **わ**

~군요, 요(여성어)

あら、雪(ゆき)が 降(ふ)っているわ。
어머, 눈이 내리고 있어요.

それは ちがうわ。
그건 아니야.

わね, わよ처럼 겹쳐서 쓰는 경우가 많다.

39 □□ **を**

~을, 를

何(なに)を めしあがりますか。
무엇을 드시겠어요?

コーヒーを ください。
커피를 주세요.

목적격 조사

이중조사로 쓰이는 말

· **でさえ** ~에서조차, ~조차

いなかでさえ 使(つか)わないもの。

시골에서조차 쓰지 않는 물건.

· **くらいしか** 정도밖에

これくらいしか 上(あ)げられなくて ごめんなさい。

요정도밖에 주지 못해 미안해.

· **だけしか** ~밖에

わたしも 半分(はんぶん)だけしか 読(よ)んでいない。

나도 반밖에 읽지 못했어.

· **としての** ~로서의

親(おや)としての 責任(せきにん)。 부모로서의 책임.

· **とは** ~라고는, ~와는

こどもとは 思(おも)えない 言(い)い方(かた)。

아이라고는 생각되지 않는 말투.

専攻(せんこう)とは 関係(かんけい)のない 仕事(しごと)。

전공과는 관계없는 일.

· **ばかりでは** ~만으로는

水(みず)も 2リットルばかりでは 一日(いちにち)しか 持(も)たない。

물도 2리터만으로는 하루밖에 안 간다.

· **よりも** ~보다도

だれよりも あなたの ことが 好(す)きです。

누구보다도 당신이 좋아요.

조사 **종합문제**

※ 밑줄 친 곳에 들어갈 가장 자연스러운 말을 고르시오.

1. こちら ＿＿＿＿＿ よろしくお願いします。

① さえ　② しか
③ でも　④ こそ

2. お酒が半分 ＿＿＿＿＿ 残っていない。

① しか　② だけ
③ ばかり　④ くらい

3. 吉田さんは田中さん ＿＿＿＿＿ 背が高い。

① しか　② から
③ より　④ こそ

4. 私は行く ＿＿＿＿＿ あなたはどうする?

① けど　② から
③ だから　④ ほど

5. 明日はテスト ＿＿＿＿＿、勉強しています。

① なのに　② なので
③ だが　④ でも

6. これは子供 ＿＿＿＿＿ できます。

① では　② でも
③ こそ　④ しか

7. オリエンテーションは9時から11時 ________ です。

① ばかり　② しか
③ ごろ　④ まで

8. 「さようなら」は英語 ________ なんと言いますか。

① か　② と
③ で　④ に

9. 日本のアニメ ________ いくつかテープを持っている。

① とは　② では
③ なら　④ には

10. なに ________ 大切なものを気付かせてくれた。

① から　② だけ
③ より　④ ほど

11. 日本語は勉強すれば ________、難しくなります。

① するばかり　② するくらい
③ するだけ　④ するほど

12. 彼はタバコを ________ 話しつづけた。

① すいながら　② すってこそ
③ すうのに　④ すうところ

정답 1. ④ 2. ① 3. ③ 4. ① 5. ② 6. ② 7. ④ 8. ③ 9. ③ 10.③ 11. ④ 12. ①

그레이드업(グレードアップ)과 레벨업(レベルアップ)

정보통신의 급속한 발전과 함께 이제는 대중적인 말이 된 '업그레이드'. 이 말을 일본어로는「グレードアップ」라고 한다.

일본어와 순서는 반대지만, 쓰임새는 우리말과 동일하게 쓰이는데, 가령,「今持っているパソコンをグレードアップさせたい。」(지금 갖고 있는 컴퓨터를 업그레이드시키고 싶다.)라든지,「サービスグレードアップ」(서비스 업그레이드)처럼 소비자가 현재 사용한 제품보다 上級(じょうきゅう)의 제품으로 바꾸거나, 소비자에게 보다 고급스러운 이미지를 주기 위한 판매 전략 용어로서 사용되기도 한다.

한편「レベルアップ」(레벨 업)는 단순히 '수준이나 정도가 높아지다, 올라가다'는 뜻으로 쓰는 말이다. 가령, '영어성적을 올린다'는 뜻으로「英語(えいご)の成績(せいせき)をレベルアップさせる」라고는 해도 「英語(えいご)の成績(せいせき)をグレードアップさせる」라고는 하지 않으므로, 구분해서 써야 한다. 즉,「グレードアップ」는 한 단계(차원) 높은 것,「レベルアップ」는 수준을 더 높이는 것으로 이해하면 되겠다.

07
복합어 · 관용어

복합어 01 合う・上げる가 붙는 말

❶ 동사연용형 + 合う : '서로 ~하다'란 뜻을 나타낸다.

01
□
□
知り合う(しりあう)

서로 알다

知る 알다 + **合う** 서로 → 서로 알다

個人的な 知り合いです。(ごじんてき・しりあい)
개인적으로 아는 사람입니다.

知り合い(しりあい)
아는 사이

02
□
□
付き合う(つきあう)

사귀다

つく 붙다 + **合う** 서로 → 서로 붙어다니다 → 사귀다

付き合っている 人が います。(つきあって・ひと)
사귀고 있는 사람이 있어요.

03
□
□
話し合う(はなしあう)

서로 이야기하다, 상의하다

話す 이야기하다 + **合う** 서로 → 서로 이야기하다

その件に ついては 後で 話し合いましょう。(けん・あと・はなしあい)
그 건에 대해서는 나중에 서로 이야기합시다.

彼女と 話し合えて 本当に よかった。(かのじょ・はなしあえて・ほんとう)
그녀와 이야기 나누어서 정말 다행이었다.

04 握(にぎ)り合(あ)う

맞잡다

握(にぎ)る 쥐다 + 合う 서로 → 서로 붙잡다

握(にぎ)り合(あ)う 手(て)に 力(からだ)が こめられた。
잡는 손에 힘이 들어갔다.

05 向(む)かい合(あ)う

서로 마주보다

向(む)かう 마주하다 + 合う 서로 → 서로 마주보다

道(みち)を 挟(はさ)んで 向(む)かい合(あ)う デパート。
도로를 끼고 마주보는 백화점.

* 向(む)かい側(がわ)
맞은편

2 동사연용형 + 上げる : 완성하다 또는 ~해드리다

上(あ)げる는 '올리다'란 뜻인데, 복합어로 쓰이면 '다 완성하다', '끝내다'는 뜻을 나타내거나 '~을 해 올리다(드리다)'란 뜻을 나타낸다.

06 買(か)い上(あ)げる

(손님이 물건을)사주다

買う 사다 + あげる 올리다 → 판매를 올리다, 매상

政府(せいふ)が 米(こめ)の 買(か)い上(あ)げに のりだした。
정부가 쌀을 사들이기 시작했다.

買(か)い上(あ)げ
매상

복합어 02 上げる・かえる가 붙는 말

07
書(か)き上(あ)げる

다 쓰다

書く 쓰다 + あげる 끝내다 → 쓰기를 끝내다

とうとう 小説(しょうせつ)を 書(か)き上(あ)げた。

드디어 소설집필을 끝냈다.

08
差(さ)し上(あ)げる

드리다(겸양어)

差す 받치다 + 上げる 올리다 → 받쳐올리다

Aのことで お電話(でんわ) 差(さ)し上(あ)げました。

A건으로 전화드렸습니다.

09
読(よ)み上(あ)げる

다 읽다

読む 읽다 + あげる 끝내다 → 읽기를 끝내다

この本(ほん)は 一日(いちにち)で 読(よ)み上(あ)げられない。

이 책은 하루만에 다 못 읽는다.

10
仕上(しあ)げる

일을 끝내다

仕 일 + 上げる 끝내다 → 일을 끝내다, 완성하다

仕上(しあ)げまでには まだ 時間(じかん)が かかります。

마무리하는 데까지는 시간이 좀더 걸립니다.

7-02▸

③ 동사연용형 + かえる : 바꿔 ~하다

11 入れ替える(いれかえる)

교체하다

入れる 넣다 + 替える 바꾸다 → 바꿔넣다

中味(なかみ)を Bに 入れ替え(いれかえ)ました。

내용물을 B로 교체했습니다.

12 着替える(きがえる)

갈아입다

着る 입다 + 替える 바꾸다 → 바꿔입다

風邪(かぜ)を引(ひ)かないよう早(はや)く着替(きが)えなさい。

감기걸리지 않도록 빨리 옷 갈아입어요.

13 切り替える(きりかえる)

전환하다, 바꾸다

切る 끊다 + 替える 바꾸다 → 끊고 바꾸다

考(かんが)え方(かた)を 切り替(きりか)える。

사고방식을 바꾸다.

14 取り替える(とりかえる)

교환하다

取る 취하다 + 替える 바꾸다 → 교환하다

エアコンの フィルターを 取り替(とりか)えた。

에어컨 필터를 교체했다.

15 両替(りょうがえ)

환전

복합어

4 동사연용형 + かかる : 막 ~하려 하다(착수하다)

16
飛(と)びかかる

덤비다

飛ぶ 뛰다 + かかる 걸다 → 뛰어들다

ドアを 開(あ)けたら 犬(いぬ)が 飛(と)びかかってきた。
문을 열었더니 개가 덤벼 들었다.

17
取(と)りかかる

집으려고 하다

取る 집다 + かかる → 막 집으려고 하다

ちょうど、取(と)りかかろうとした ところだった。
마침 착수하려던 참이었다.

18
死(し)にかかる

거의 죽어가다

死ぬ 죽다 + かかる → 죽어가다

友達(ともだち)が 事故(じこ)で 死(し)にかかっている。
친구가 사고로 죽어가고 있다.

19
しかかる

막 시작하다

する 하다 + かかる → 하려고 하다

仕事(しごと)を しかかった時(とき)に お客(きゃく)に 来(こ)られた。
일을 막 시작한 참에 손님이 왔다.

⑤ 동사연용형 + かける : 동작을 걸다, 막~하기 시작하다

20 □□ **話(はな)しかける**

말을 걸다

話す 말하다 + **かける** 걸다 → 말을 걸다

急(きゅう)に 日本語(にほんご)で 話(はな)しかけられ、びっくりした。

갑자기 일본어로 말을 걸어와 깜짝 놀랐다.

21 □□ **追(お)いかける**

따라가다

追う 좇다 + **かける** 걸다 → 좇아가다

「田村(たむら)さん」と栗子(くりこ)が追(お)いかけてきた。

'다무라 씨' 하고 구리코가 좇아왔다.

22 □□ **上(のぼ)りかける**

오르다

上る 오르다 + **かける** 걸다 → 올라가다

階段(かいだん)を 上(のぼ)りかける。

계단을 올라가다.

23 □□ **見(み)せかける**

그렇게 보이게 하다

見せる 보이다 + **かける** 걸다 → 보여주다

全(まった)く 関係(かんけい)ない ように 見(み)せかける。

전혀 관계없는 듯이 보이게 하다.

복합어 04 込む・すぎる가 붙는 말

❻ 동사연용형 + 込む : 어떤 상태에 깊이 빠지다

24 □□ **落(お)ち込(こ)む**

빠지다(나쁜 이미지), 침울해지다

落ちる 빠지다 + **込む** 안으로 → 안으로 빠지다

そんなに 落(お)ち込(こ)むなよ。

너무 그렇게 축 처져 있지 마.

25 □□ **考(かんが)え込(こ)む**

생각에 빠지다

考える 생각하다 + **込む** 빠지다 → 생각에 빠지다

直己(なおみ)は 考(かんが)え込(こ)んだ。

나오미는 깊은 생각에 빠져들었다.

26 □□ **信(しん)じ込(こ)む**

굳게 믿다

信じる 믿다 + **込む** 깊이 ~하다 → 굳게 믿다

みんな 合格(ごうかく)するだろうと 信(しん)じ込(こ)んでいた。

모두들 합격할 것이라고 굳게 믿고 있었다.

27 □□ **吸(す)い込(こ)む**

(공기를)들이마시다

吸(す)う 공기를 마시다 + **込む** 안으로 → 들이마시다

冷(つめ)たい 空気(くうき)を 吸(す)い込(こ)んだ。

차가운 공기를 들이마셨다.

7 동사연용형 + すぎる : 지나치게 ~하다, 너무 ~하다

28
言(い)**いすぎる**

말이 지나치다

言う 말하다 + 過ぎる 지나치다 → 말이 지나치다

それは 言(い)いすぎです。
그건 말이 지나칩니다.

29
吸(す)**いすぎる**

너무 많이 피우다

吸う 피우다 + 過ぎる 지나치다 → 지나치게 피우다

タバコの 吸(す)いすぎに ご注意(ちゅうい)ください。
지나친 흡연에 주의바랍니다.

30
食(た)**べすぎる**

과식하다

食べる 먹다 + 過ぎる 지나치다 → 지나치게 먹다

食(た)べすぎない ように しましょう。
과식하지 않도록 합시다.

31
飲(の)**みすぎる**

과음하다

飲む 마시다 + 過ぎる 지나치다 → 지나치게 마시다

飲(の)み過(す)ぎると 体(からだ)を 壊(こわ)す。
과음을 하면 몸을 망친다.

복합어 05 すぎる가 붙는 말

7 형용사 어간 + すぎる : 지나치게 ~하다

32
□□ 派手(はで)すぎる
너무 화려하다

派手だ 화려하다 + **過ぎる** 지나치다 → 너무 화려하다

これ 派手(はで)すぎるんじゃないですか。
이건 너무 화려하지 않아요?

33
□□ 静(しず)かすぎる
너무 조용하다

静かだ 조용하다 + **過ぎる** 지나치다 → 너무 조용하다

静(しず)かすぎると 眠(ねむ)くなる。
너무 조용해도 졸립다.

34
□□ 多(おお)すぎる
너무 많다

多い 많다 + **過ぎる** 지나치다 → 너무 많다

まだ こどもなのに 宿題(しゅくだい)が 多(おお)すぎる。
아직 아이인데, 숙제가 너무 많다.

35
□□ 辛(から)すぎる
너무 맵다

辛い 맵다 + **過ぎる** 지나치다 → 너무 맵다

外国人(がいこくじん)には 辛(から)すぎると 思(おも)います。
외국인에게는 너무 매울 것 같아요.

36
□ 高(たか)すぎる
□

너무 비싸다

高い 비싸다 + 過ぎる 지나치다 → 너무 비싸다

ほしい皮(かわ)じゃんが 高(たか)すぎて、結局(けっきょく)買(か)えなかった。

갖고 싶은 가죽점퍼가 너무 비싸서 결국 못 샀다.

37
□ 遠(とお)すぎる
□

너무 멀다

遠い 멀다 + 過ぎる 지나치다 → 너무 멀다

ここから 駅(えき)までは 遠(とお)すぎて、歩(ある)いていけない。

여기서 역까지는 너무 멀어서 걸어서 갈 수 없다.

38
□ よすぎる
□

너무 좋다 (활용에 주의)

いい/よい 좋다 + 過ぎる 지나치다 → 너무 좋다

マリさんは 人(ひと)が よすぎて、NOと 言(い)えない タイプだ。

마리 씨는 사람이 너무 좋아서 no라고는 못하는 타입이다.

복합어 06 出すが 붙는 말

8 동사연용형 + 出す : ~하기 시작하다, ~해 내다

39 言い出す(いだす)

말하기 시작하다

言う 말하다 + 出す 시작하다 → 말하기 시작하다

急(きゅう)に 吉田(よしだ)さんのことを 言(い)い出(だ)して、皆(みんな) びっくりした。

갑자기 요시다 씨에 대해 말하기 시작해서, 모두 놀랐다.

40 思い出す(おもいだす)

생각해내다

思う 생각하다 + 出す 내다 → 생각해내다

この写真(しゃしん)を みると、いつも 昔(むかし)のことを 思(おも)い出(だ)す。

이 사진을 볼 때면 늘 옛날 일이 생각난다.

41 作り出す(つくりだす)

만들어내다

最近(さいきん) だいたいの 部品(ぶひん)は ここで 作(つく)り出(だ)している。

요즘은 웬만한 부품은 여기서 만들어내고 있다.

42 取り出す(とりだす)

끄집어내다

取る 집다 + 出す 내다 → 끄집어내다

ポケットから ピストルを 取(と)り出(だ)した。
주머니에서 총을 꺼냈다.

43
□□ 降(ふ)り出(だ)す

내리기 시작하다

降る 내리다 + **出す** 내다 → 내리기 시작하다

とうとう 雨(あめ)が 降(ふ)り出(だ)した。
드디어 비가 내리기 시작했다.

복합어 07 ちがう・つづけるが 붙는 말

9 동사연용형 + ちがう : 엇갈리다, 교차하다

44
□ 食(く)いちがう
□

의견이 엇갈리다

食(く)う 먹다 + ちがう 다르다 → 잘못먹다

意見(いけん)が 食(く)い違(ちが)って 大変(たいへん)でした。

의견이 서로 맞지 않아 힘들었습니다.

45
□ 行(ゆ)きちがう
□

길이 엇갈리다

行(ゆ)く 가다 + ちがう 다르다 → 길이 다르다

行(ゆ)き違(ちが)いで 会(あ)えなかった。

길이 엇갈려서 못만났다.

46
□ すれちがう
□

스쳐지나가다

すれる 스치다 + ちがう 다르다 → 스쳐 지나가다

彼(かれ)とは いつも すれちがうが、名前(なまえ)は 知(し)らない。

그와는 항상 스쳐지나가지만, 이름은 모른다.

⑩ 동사연용형 + つづける : 계속해서 ~하다

47
思い続ける(おもいつづける) 계속 생각하다

思う 생각하다 + 続ける 계속하다 → 계속 생각하다

今まで ずっと あなたのことを 思い続けて来ました。

지금까지 줄곧 당신 생각을 해왔습니다.

48
話し続ける(はなしつづける) 계속 이야기하다

話す 이야기하다 + 続ける 계속하다 → 계속 이야기하다

社長は 下半期の 販売実績に ついて 話し続けていた。

사장님은 하반기 판매실적에 대해 계속 이야기하고 있었다.

49
待ち続ける(まちつづける) 계속 기다리다

待つ 기다리다 + 続ける 계속하다 → 계속 기다리다

今は 彼女が 戻ってくるのを 待ち続けるしかない。

지금은 그녀가 돌아오기를 기다리는 수밖에 없다.

복합어 08 直す・回るが 붙는 말

⑪ 동사연용형 + 直す : 다시 ~하다

50 **考え直す** (かんがなお)

다시 생각하다, 재고하다

考える 생각하다 + **直す** 고치다 → 고쳐생각하다

もう一度(いちど) 考え直(かんがなお)すことに した。

다시 고쳐 생각하기로 했다.

51 **見直す** (みなお)

다시 보다, 재평가하다

見る 보다 + **直す** 고치다 → 고쳐보다

歴史教科書(れきしきょうかしょ)の内容(ないよう)を見(み)なおすことにした。

역사교과서 내용을 재검토하기로 했다.

52 **やり直す** (なお)

다시 하다

やる 하다 + **直す** 고치다 → 다시 하다

今(いま)なら やり直(なお)しても 充分(じゅうぶん) 間(ま)に合(あ)う。

지금부터 다시 해도 충분하다.

53 **読み直す** (よなお)

다시 읽다

読む 읽다 + **直す** 고치다 → 다시 읽다

この本(ほん)は 3回(さんかい)も 読(よ)み直(なお)しました。

이 책은 세 번이나 다시 읽었습니다.

⑫ 동사연용형(또는 명사) + 回る : ~하며 돌아다니다

54 □□ **歩き回る**（あるきまわる）

돌아다니다

歩く 걷다 + 回る 돌다 → 걸어돌아다니다

赤(あか)ちゃんは いつのまにか 立(た)ち上(あ)がって、部屋中(へやじゅう)を 歩(ある)き回(まわ)っていた。

아기는 어느샌가 혼자 일어나서 방안을 걸어 돌아다녔다.

55 □□ **上回る**（うわまわる）

웃돌다 ↔ 下回(したまわ)る

上(うわ) 위 + 回る 돌다 → 웃돌다, 상회하다

前年(ぜんねん)を上回(うわまわ)る 実績(じっせき)。

전년을 웃도는 실적.

56 □□ **見回る**（みまわる）

돌아보다, 보면서 다니다

見る 보다 + 回る 돌다 → 보면서 돌아다니다

パリでは 博物館(はくぶつかん)を ゆっくり 見回(みまわ)りました。

파리에서는 박물관을 천천히 돌아보고 다녔습니다.

⑬ 打ち가 붙는 말 : ~하다, 강조

57

打(う)ち明(あ)ける

털어 놓다

打つ 치다 + **開ける** 열다 → 쳐서 열다

あなたに 打(う)ち明(あ)けたい ことが ある。

네게 털어놓고 싶은 이야기가 있어.

58

打(う)ち合(あ)わせる

미리 의논하다

打つ 치다 + **あわせる** 맞추다 → 미리 쳐서 맞추다

このミーティングは あらかじめ 打(う)ち合(あ)わせる 必要(ひつよう)が ある。

이 회의는 미리 의논할 필요가 있다.

59

打(う)ち切(き)る

중단하다

打つ 치다 + **切る** 자르다 → 쳐서 잘라버리다

途中(とちゅう)で 調査(ちょうさ)を 打(う)ち切(き)ることは できません。

도중에 수사를 그만둘 순 없습니다.

60

打(う)ち消(け)す

지우다, 부정하다

打ち 치다 + **消す** 지우다 → 지워버리다

彼(かれ)は 政府(せいふ)との 関係(かんけい)を 打(う)ち消(け)した。

그는 정부와의 관계를 부정했다.

⑭ 取りが 붙는 말 : '집어서 ~하다' 또는 뒤에 오는 동사를 강조한다.

61
□
□
取(と)り消(け)す

취소하다

取る 강조 + **消す** 지우다 → 없던 일로 지우다

午前(ごぜん)の 約束(やくそく)は 取(と)り消(け)しできない。

오전 약속은 취소할 수 없다.

62
□
□
取(と)り出(だ)す

끄집어 내다

取る 집다 + **出す** 내다 → 끄집어내다

ポケットから ハンカチを 取(と)り出(だ)す。

포켓에서 손수건을 꺼내다.

63
□
□
取(と)りつける

달다, 장치하다

取る 집다 + **つける** 붙이다 → 달아붙이다

エアコンを 取(と)りつける。

에어컨을 달다.

64
□
□
取(と)り引(ひ)く

거래하다

取る 집다 + **引く** 당기다 → 잡아당기며 흥정하다

市場(いちば)では いろいろなものが取(と)り引(ひ)きされる。

시장에서는 여러가지 물건이 거래되고 있다.

복합어 10 引き・にくいが 붙는 말

⑮ 引きが 붙는 말 : 당겨서 ~하다, 또는 동사를 강조.

65
□□ **引っかかる** (ひ)

걸리다, 마음에 걸리다

引く 끌다 + かかる 걸리다 → 걸려들다

あみに ひっかかった あゆ。
그물에 걸린 빙어.

66
□□ **引っ越す** (ひ, こ)

이사하다

引く 빼다 + 越す 넘다, 이사하다 → 빼서 넘어가다

明日(あす)、引(ひ)っ越(こ)しします。 내일 이사갑니다.

引(ひ)っ越(こ)しシーズン 이사철

67
□□ **引っ張る** (ひ, ば)

잡아당기다

引く 당기다 + 張る 늘리다 → 잡아 당기다

何(なに)が あっても あなたを 引(ひ)っ張(ぱ)って来(こ)いと 言(い)われました。
무슨 일이 있어도 당신을 데려오라고 합니다.

68
□□ **引きとめる** (ひ)

붙잡다, 만류하다

引く 끌다 + とめる 말리다 → 끌어 말리다

今度(こんど)だけは 引(ひ)きとめても むだだ。
이번만은 말려도 소용없다.

⑯ 동사 연용형 + にくい : ~하기 어렵다

69
□□ 言(い)いにくい 말하기 어렵다

言う 말하다 + にくい 어렵다 → 말하기 어렵다

本人(ほんにん)の 前(まえ)では 言(い)いにくい。
본인 앞에서는 말하기 어렵다.

70
□□ 使(つか)いにくい 사용하기 불편하다

使う 사용하다 + にくい 어렵다 → 사용하기 어렵다

この機械(きかい)は なかなか 使(つか)いにくい。
이 기계는 상당히 사용하기 불편하다.

71
□□ 作(つく)りにくい 만들기 어렵다

作る 만들다 + にくい 어렵다 → 만들기 어렵다

一人(ひとり)では 作(つく)りにくい。
혼자서는 만들기 어렵다.

72
□□ 分(わ)かりにくい 이해하기 어렵다

分かる 이해하다 + にくい 어렵다 → 이해하기 어렵다

彼(かれ)の話(はな)しは(まとまらなくて) 分(わ)かりにくい。
그의 이야기는 (산만해서) 이해하기 힘들다.

복합어 11

やすい・方(かた)가 붙는 말

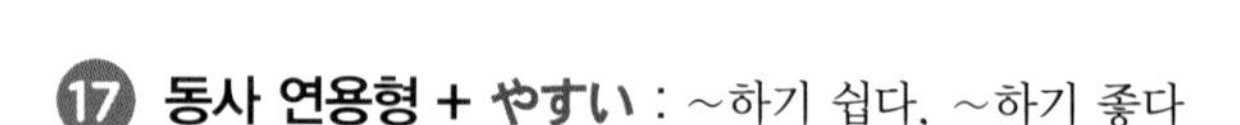

⑰ 동사 연용형 + やすい : ~하기 쉽다, ~하기 좋다

73
□□ **しやすい**

하기 쉽다 ≒ やりやすい

する 하다 + やすい 쉽다 → 하기 쉽다

これは 子供(こども)でも しやすくなっている。
이건 아이들도 하기 쉽게 되어 있다.

74
□□ **使(つか)いやすい**

사용하기 쉽다, 수월하다

使う 사용하다 + やすい 쉽다 → 사용하기 쉽다

この 辞書(じしょ)は 使(つか)いやすくて、便利(べんり)だ。
이 사전은 사용하기 쉽고, 편리하다.

75
□□ **飲(の)みやすい**

마시기 좋다

飲む 마시다 + やすい 쉽다 → 마시기 쉽다

はちみつを 入(い)れたら、飲(の)みやすくなった。
꿀을 탔더니 마시기 좋아졌다.

76
□□ **見(み)やすい**

보기 쉽다

見る 보다 + やすい 쉽다 → 보기 쉽다

字(じ)が 大(おお)きくて 見(み)やすい。
글자가 커서 보기 수월하다.

18 동사 연용형 + 方(かた) : ~하는 방법

77
言い方(いかた)

말투, 어투

言う 말하다 +かた 방법 → 말하는 방법, 어투

同(おな)じ言葉(ことば)でも 言(い)い方(かた)に よって 感(かん)じがちがうものだ。
같은 말이라도 어투에 따라 느낌이 다르게 마련이다.

78
教え方(おしえかた)

가르치는 방법, 교수법

教える 가르치다 + かた 방법 → 가르치는 방법

先生(せんせい)に よって 教(おし)え方(かた)も 違(ちが)う。
선생님에 따라 교수법도 다르다.

79
考え方(かんがえかた)

생각하는 법, 사고방식

考える 생각하다 + かた 방법 → 생각하는 방법

同(おな)じ 韓国人(かんこくじん)でも 考(かんが)え方(かた)は まちまちだ。
같은 한국인이라도 사고방식은 각양각색.

80
使い方(つかいかた)

사용법

使う 사용하다 + かた 방법 → 사용법

詳(くわ)しい使(つか)い方(かた)はマニュアルをご参考下(さんこうくだ)さい。
자세한 사용법은 매뉴얼을 참고 바랍니다.

복합어 12 先(さき)・もの가 붙는 말

⑲ 동사 연용형 + 先(さき) : ~하는 곳

81 □□ 送(おく)り先(さき)

보내는 곳

送る 보내다 + 先 곳 → 보내는 곳

送(おく)り先(さき)は ここに 書(か)いてください。

보내는 곳은 여기에 적어 주세요.

82 □□ 行(ゆ)き先(さき)

행선지

行く 가다 + 先 곳, 처 → 갈 곳

誰(だれ)も A氏(し)の 行(ゆ)き先(さき)を 知(し)らない。

누구도 A씨의 행선지를 모른다.

83 □□ 勤(つと)め先(さき)

근무처

勤める 근무하다 + 先 곳 → 근무하는 곳

お勤(つと)め先(さき)は どこですか。

어디서 근무하시나요?

84 □□ 使(つか)い先(さき)

사용처

使う 쓰다 + 先 곳 → 쓰는 곳

お金(かね)の 使(つか)い先(さき)を 調(しら)べてくれ。

돈의 사용처를 조사해 주게.

20 동사 연용형 + もの : ~하는 것

85
□□ 買い物(かいもの)

쇼핑, 장보기

買う 사다 + **物** 것, 물건 → 물건을 사다

毎日(まいにち) 買い物(かいもの)するのは 大変(たいへん)です。

매일 장보기를 하는 건 힘듭니다.

86
□□ 食べ物(たべもの)

먹을 것, 음식

食べる 먹다 + **物** 것, 물건 → 먹을 것

冷蔵庫(れいぞうこ)の中(なか)に 食べ物(たべもの)が いっぱい 入(はい)っているよ。

냉장고 안에 먹을 것이 잔뜩 들어있단다.

87
□□ 飲み物(のみもの)

음료

飲む 마시다 + **物** 것, 물건 → 마실 것

お飲み物(のみもの)は 何(なに)に なさいますか。

음료는 뭘로 하실 건가요?

88
□□ 忘れ物(わすれもの)

분실물

忘れる 잊어버리다 + **物** 것, 물건 → 잊어버린 물건

お忘れ物(わすれもの)のないよう、お確(たし)かめ下(くだ)さい。

잊은 물건이 없는지 확인해 주세요.

관용어 13 얼굴 · 눈 · 코에 관한 표현

❶ 얼굴(顔), 머리(頭)에 관한 표현

顔(かお)が 広(ひろ)い	발이 넓다(안면이 넓다)
顔(かお)が きく	얼굴이 통하다(영향력이 있다)
顔(かお)を 赤(あか)らめる	얼굴을 붉히다(부끄러움)
顔(かお)を しかめる	얼굴을 찡그리다
顔(かお)を 付(つ)き合(あ)わせる	얼굴을 맞대다
何食(なにく)わぬ顔(かお)	아무렇지도 않다는 듯 시치미를 뗄 때. 언제 그랬냐는 얼굴
頭(あたま)に 来(く)る	화가 치밀다 = 腹(はら)が立(た)つ
顔(かお)つき · 顔(かお)たち	얼굴 생김새
目鼻立(めはなだ)ち	이목구비
丸顔(まるがお)	둥근 얼굴
面長(おもなが)	긴 얼굴, 말상(馬面(うまづら))

② 눈, 눈물, 눈썹에 관한 표현

目(め)が回(まわ)るほど忙(いそが)しい	눈이 돌 정도로 바쁘다
目(め)を 開(あ)ける	눈을 뜨다
目(め)を 覚(さ)ます	잠이 깨다
目(め)を こする	눈을 비비다
目(め)を やる	눈을 주다, 보다
目(め)と 鼻(はな)の 先(さき)	엎어지면 코 닿을 데
涙(なみだ)を 拭(ぬぐ)う	눈물을 닦다
眉(まゆ)を ひそめる	눈썹을 찡그리다

③ 코에 관한 표현

鼻(はな)が 高(たか)い	콧대가 높다
鼻(はな)を 折(お)る	콧대를 꺾다
鼻(はな)の下(した)が 長(なが)い	여색을 밝히다
いびきを かく	코를 골다

관용어 14 입·어깨·가슴에 관한 표현

4 입, 입술, 치아에 관한 표현

口(くち)が 重(おも)い	입이 무겁다, 과묵하다 (쓸데없는 말을 안하는 사람)
口(くち)が 堅(かた)い	입이 단단하다, 입이 무겁다 (해서는 안 되는 말을 하지 않는 사람)
口(くち)を きく	말을 하다, 입을 열다
口(くち)を 尖(とが)らす	입을 뾰로통하게 내밀다
口添(くちぞ)えを する	부탁할 때 옆에서 말로 거들어주다
口唇(くちびる)を かむ	입술을 깨물다
歯(は)が 立(た)たない	벅차다, 상대를 감당하지 못하다.
舌(した)を まく	혀를 내두르다
虫歯(むしば)	충치
奥歯(おくば)	어금니
犬歯(けんし)	송곳니
前歯(まえば)	앞니
のどびこ	목젖

7-14▶

❺ 어깨에 관한 표현

肩(かた)を すくめる	어깨를 으쓱하다
肩(かた)を 抱(だ)く	어깨를 안다
肩(かた)を たたく	어깨를 두드리다
肩(かた)を 並(なら)べる	어깨를 나란히 하다
(~の)肩(かた)を もつ	(~의)편을 들다

❻ 가슴, 허리에 관한 표현

胸(むね)が 痛(いた)む	가슴이 아프다
腰(こし)を おろす	앉다
腰(こし)を かける	앉다
腰(こし)を 抜(ぬ)かす	깜짝 놀라다
えび腰(ごし)	새우처럼 굽은 허리
柳腰(やなぎごし)	柳(やなぎ버드나무)처럼 낭창낭창한 허리, 가늘고 부드러운 여자 허리.

관용어 15 손・다리에 관한 표현

7 손에 관한 표현

手(て)に する	손에 들다
手(て)を 出(だ)す	손을 대다
手(て)を やく	애를 먹다, 골탕을 먹다 (본래 뜻은 손을 데다)
おやゆび	엄지
人差(ひとさ)し指(ゆび) / 食指(しょくし)	검지
中指(なかゆび) / たかたかゆび	중지
薬指(くすりゆび)	약지
小指(こゆび)	새끼손가락
手(て)の平(ひら)	손바닥
手(て)の甲(こう)	손등

8 다리, 무릎, 발에 관한 표현

足(あし)が 出(で)る	적자가 나다
膝(ひざ)が ふるえる	무릎이 흔들거리다(두려움)
足(あし)を 組(く)む	다리를 꼬다
足(あし)を 洗(あら)う	발을 씻다(주로 나쁜 일에서 손을 떼다)
足(あし)の甲(こう)	발등
足(あし)の平(ひら)	발바닥
足首(あしくび)	발목
はだし	맨발 = すあし
土足(どそく)	신발신은 채
ふともも	허벅지

관용어 16 마음·숨에 관한 표현

9 마음, 정신에 관한 표현

気(き)が 付(つ)く	알아차리다
気(き)が 変(か)わる	마음이 바뀌다
気(き)が 遠(とお)くなる	정신이 멀어지다
気(き)を 失(うしな)う	정신을 잃다
意識(いしき)を 失(うしな)う	의식을 잃다
意識(いしき)が 戻(もど)る	의식이 돌아오다
危(あぶ)ないところは脱(だっ)した	위험한 고비는 넘겼다
しっかりしろ!	정신차려! ≒ しっかりして
気(き)を つける	조심하다
気(き)を もむ	조바심하다, 걱정을 하다
平気(へいき)	아무렇지도 않음
本気(ほんき)	진심
気取(きど)る	잘난체하다, 우쭐하다
浮気(うわき)をする	바람을 피우다

⑩ 숨 · 소리에 관한 표현

息(いき)を つく	숨을 쉬다
ため息(いき)を つく	한숨을 쉬다
声(こえ)を かける	말을 걸다
足音(あしおと)を 立(た)てる	발소리를 내다
かたずを 飲(の)む	(긴장해서) 마른침을 삼키다
大声(おおごえ)を 出(だ)す	소리를 지르다
泣(な)き声(ごえ)	울음소리

관용어 17 일상생활동작·착용에 관한 표현

11 일상생활동작

お湯(ゆ)を かぶる	물을 끼얹다
お風呂(ふろ)に 入(はい)る	목욕하다
かみの毛(け)を 洗(あら)う	머리를 감다
化粧(けしょう)を する	화장을 하다
化粧(けしょう)を おとす	화장을 지우다
シャワーを 浴(あ)びる	샤워를 하다
テレビを つける	텔레비전을 켜다
テレビを 消(け)す	텔레비전을 끄다
ドライヤーを かける	드라이를 하다
ドアを 叩(たた)く	문을 두드리다
ドアを 開(あ)ける	문을 열다
ひげを そる	수염을 깎다
車(くるま)を とめる	주차하다
車(くるま)を 出(だ)す	차를 빼다

7-17▸ 

⑫ 착용에 관한 말

靴(くつ)を はく	신발을 신다
靴(くつ)を 脱(ぬ)ぐ	신발을 벗다
シャツを 着(き)る	셔츠를 입다
シャツを 脱(ぬ)ぐ	셔츠를 벗다
スカート/ズボンを はく	치마/바지를 입다
スカート/ズボンを 脱(ぬ)ぐ	치마/바지를 벗다
ネクタイを しめる	넥타이를 매다
ネクタイを はずす	넥타이를 풀다
ネックレスを つける/する	목걸이를 하다
帽子(ぼうし)を かぶる	모자를 쓰다
ボタンを 外(はず)す	단추를 풀다
ボタンを 止(と)める	단추를 채우다
眼鏡(めがね)を かける/する	안경을 쓰다
眼鏡(めがね)を はずす	안경을 벗다

관용어 18 일본어로 읽는 4자성어

異口同音(いくどうおん) (이구동성)	많은 사람이 입을 모아 같은 말을 하는 것.
危機一髪(ききいっぱつ) (위기일발)	머리카락 한 올 차이로 매우 위험하거나 아주 위급한 상황을 나타낸다. 한자에 주의(発×).
自業自得(じごうじとく) (자업자득)	자신이 한 대로 결과가 온다는 것. 특히 나쁜 결과를 초래할 때 쓴다. 業(업)은 불교의 업보를 말함.
一石二鳥(いっせきにちょう) (일석이조)	돌 하나로 동시에 두 마리 새를 잡는다. 한꺼번에 두 가지 이익이 생길 때 쓰는 말. = 一挙両得(いっきょりょうとく)
竜頭蛇尾(りゅうとうだび) (용두사미)	처음에는 기세좋게 시작했다가 나중에는 흐지부지해지는 것.
大器晩成(たいきばんせい) (대기만성)	큰 그릇은 만드는 데 오래 걸린다. 즉 큰 인물은 성장이 느리더라도 시간을 들여 실력을 쌓아 끝에 대성한다는 뜻.
以心伝心(いしんでんしん) (이심전심)	말로써가 아니라 마음으로 서로 통하는 것. 한자에 주의.

7-18▶

いっしょけんめい 一所懸命 (사력을 다해, 열심히)	주어진 땅(영지 一所)에서 목숨을 걸고 지키는 것. 즉 매우 열심히 하는 것을 나타낸다. = 一生懸命(いっしょうけんめい)
きどあいらく 喜怒哀楽 (희노애락)	인간이 가지는 감정.
きょうみしんしん 興味津々 (흥미진진)	흥미가 자꾸자꾸 생겨나는 것.
せいせいどうどう 正々堂々 (정정당당)	태도나 방법이 바르고 당당함. ~と戦(たたか)う 정정당당하게 싸우다
わき 和気あいあい (화기애애)	온화하고 부드러운 분위기를 나타내는 말.
せんさばんべつ 千差万別 (천차만별)	종류가 아주 많다는 뜻.
ちょうさんぼし 朝三暮四 (조삼모사)	사람을 교묘한 말로 속이는 것이나 눈 앞의 이익 때문에 사물의 본질을 헤아리지 못하는 우매한 행동을 비유할 때.
じゅうにんといろ 十人十色 (십인십색)	열 사람에 열 가지 색. 사람의 취향이나 생각이 제각각 다르다는 뜻.

관용어 19 속담 및 격언으로 풍부해지는 표현

悪銭身(あくせんみ)につかず	부정한 방법으로 번 돈은 몸에 오래 붙어 있지 않는다는 뜻.
朝飯前(あさめしまえ)	직역하면 아침식사 전, 우리말의 '식은 죽 먹기'에 해당하는 말. '아주 쉽다'는 뜻이다.
足(あし)が棒(ぼう)になる	다리가 뻣뻣해질 정도로 매우 피곤하고 지치다.
石(いし)の上(うえ)にも三年(さんねん)	돌 위에서도 3년. 고진감래. 참고 견디면 복이 온다는 뜻.
絵(え)に描(か)いたもち	그림의 떡. 실제로 도움이 되지 않는다는 뜻.
大風呂敷(おおふろしき)を広(ひろ)げる	허풍을 떨다.
親(おや)のすねをかじる	부모의 무릎을 갉아먹다. 독립하지 못하고 부모 밑에서 도움을 받으며 사는 자식.
かわいい子(こ)には旅(たび)をさせよ	사랑스런 아이에게 여행을 시켜라. 사랑하는 자식일수록 먼곳으로 여행을 보내라는 뜻.

五十歩百歩(ごじゅっぽひゃっぽ)	오십보백보. 전쟁 때 50보 후퇴한 병사가 100보 후퇴한 병사를 흉보는 것에서 나온 말로 둘 다 마찬가지로 별 차이가 없다는 뜻.
言葉(ことば)をにごす	말을 흐리다. 얼버무리다. 자신에게 불리한 일에 대해 분명히 말하지 않고 애매하게 말하는 것.
住(す)めば都(みやこ)	정들면 고향.
他人(たにん)の空似(そらに)	타인인데 얼굴 등이 많이 닮은 것을 가리킨다. * 赤(あか)の他人(たにん) 생전 처음 보는 사람
遠(とお)くの親戚(しんせき)より近(ちか)くの他人(たにん)	먼 친척보다 가까운 타인이 낫다. 즉 이웃사촌이 먼 친척보다 낫다는 뜻.
七転(ななころ)び八起(やお)き	칠전팔기. 일곱 번 쓰러지고 여덟 번 일어난다는 뜻. しちてんはっき로도 읽는다.

학생(学生がくせい)과 선생님(先生せんせい)

우리나라에서는 초등학생부터 대학생까지 모두 '학생'이라고 부르지만, 일본어에서는 조금씩 다르게 표현되고 있다. 통상적으로 교육을 받는 단계나 연령으로 구분해서 쓰는데, 学生(がくせい)는 보통 大学生(だいがくせい), 生徒(せいと)는 중학생(中学生ちゅうがくせい)이나 고등학생(高校生こうこうせい), 児童(じどう)는 초등학생(小学生しょうがくせい)을 가리킨다.

한편, 일본에서는 '교사(教師きょうし)'란 말과 함께 생소하겠지만 「教諭(きょうゆ)」라는 말도 사용한다. 우선 '교사'란 초 · 중 · 고등학교의 선생님뿐만 아니라 학원 강사나 가정교사 등 광범위하게 사용되고 있는 반면, '教諭(きょうゆ)'는 초 · 중 · 고등학교의 정규교사 즉, '教育職員免許法'에 따라 정식 교원면허를 가진 사람을 가리키는 것이다. 우리말의 '교원'에 해당하는 표현이다.

법률이나 신문 등에서는 정식 명칭인 「教諭(きょうゆ)」를 사용하지만, 일반 회화에서는 이 말 대신 「先生(せんせい)」나 「教師(きょうし)」라는 말을 많이 쓴다. 덧붙여서, 「先生(せんせい)」는 그 말 자체에 존경의 뜻이 들어있으므로 자기 자신을 가리킬 때는 「教師(きょうし)」라고 한다.

08
경어

경어 01 **주다, 받다에 관한 말**

01
N5
上(あ)げる
下1他

드리다

これも 上(あ)げます。
이것도 드리겠습니다.

おじいさんに 上(あ)げましょうか。
할아버지께 드릴까요?

주로 ~てあげる(~해 주다)형으로 많이 쓴다.

02
N4
差(さ)し上(あ)げる
下1他

드리다, 바치다

原本(げんぽん)は この前(まえ) 差(さ)し上(あ)げました。
원본은 지난번에 드렸습니다.

先(さき)ほど電話(でんわ)差(さ)し上(あ)げましたけれども…。
좀전에 전화 드렸습니다만….

与(あた)える, あげる의 겸양어

03
N4
くれる
下1他

주다

ここで 少(すこ)し 待(ま)ってくれる?
여기서 조금 기다려 줄래?

このスカフは 母(はは)が 買(か)ってくれました。
이 스카프는 엄마가 사 주셨습니다.

가족에 관해 말할 때는 낮춤말을 써야 한다.

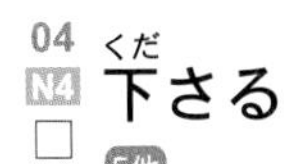

04 N4 □□

下(くだ)さる

5他

주시다 ＊ます형은 くださいます

先生(せんせい)が 作(つく)ってくださった テープ。

선생님이 만들어주신 테이프.

これを 読(よ)んでください。

이것을 읽어주세요.

주로 ~てください(~해 주세요)로 많이 쓴다.

05 N4 □□

受(う)ける

下1他

받다 (주로 추상적인 것)

これから 質問(しつもん)を 受(う)けます。

지금부터 질문을 받겠습니다.

突然(とつぜん)の テロ事件(じけん)で 衝撃(しょうげき)を 受(う)けました。

갑작스런 테러사건으로 충격을 받았습니다.

受[じゅ] 받을 수 受験生(じゅけんせい) 수험생

06 N4 □□

もらう

5他

받다

誕生日(たんじょうび)に 彼(かれ)から お花(はな)を もらいました。

생일날 그사람한테서 꽃을 받았습니다.

原稿(げんこう)の内容(ないよう)を 見(み)てもらいたいと 思(おも)って。

원고 내용을 (당신이)봐주셨으면 해서요.

주로 ~てもらう형으로 많이 쓴다.

경어 02 받다, 마시다, 하다에 관한 말

07
N4 頂く(いただく) ①
5他

받다

先生(せんせい)から お土産(みやげ)を 頂(いただ)きました。
선생님한테서 선물을 받았습니다.

日本語(にほんご)は森先生(もりせんせい)から教(おし)えていただきました。
일본어는 모리선생님한테서 배웠습니다.

もらう의 겸양어

08
N4 頂く(いただく) ②
5他

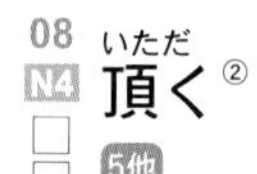

들다

いただきます。
잘 먹겠습니다. / 잘 마시겠습니다.

もう 十分(じゅうぶん) いただきました。
이미 많이 먹었습니다.

食(た)べる, 飲(の)む의 겸양어로 쓰인 경우.

09
N4 召し上がる(めしあがる)
5他

드시다

色々(いろいろ) 召(め)し上(あ)がってください。
여러 가지 드십시오.

どれを 召(め)し上(あ)がりますか。
어느것을 드실 건가요?

食(た)べる, 飲(の)む의 존경어.

10
致す(いた)
N4

하다

それでは 失礼致(しつれいいた)します。
그럼, 실례하겠습니다. (전화를 끊을 때)

最初(さいしょ)から ご説明(せつめい)いたします。
처음부터 설명드리겠습니다.

する의 겸양어.

11
なさる
N4

ます형은 なさいます

하시다

じゃ、一応(いちおう) 出社(しゅっしゃ)は なさる おつもりですか。
그럼, 일단 출근은 하실 작정이세요?

これから どうなさいますか。
앞으로 어떻게 하실 건가요?

する의 존경어.

12
やる
N4
5他

하다 ＊する, あげる의 낮춤말

この仕事(しごと)は 君(きみ)に やってもらおう。
이 일은 자네가 해주게.

牛(うし)に えさを やる 仕事(しごと)。
소에게 먹이를 주는 일.

やってもらう ~해받다

경어 03 있다, 가다, 오다에 관한 말

13
N4 **いらっしゃる①**

계시다

鈴木(すずき)さん いらっしゃいますか。
스즈키 씨 계십니까?

あそこに座(すわ)っていらっしゃるかたはどなたですか。
저기 앉아 계신 분은 누구세요?

いるの 존경어.

ます형은 いらっしゃいます

14
N4 **いらっしゃる②**

5自

가시다, 오시다

いらっしゃいませ。
어서 오십시오. (가게에서 손님을 맞을 때)

山下(やました)さんは いらっしゃらないみたいです。
야마시타 씨는 안 오시는 것 같습니다.

来る · 行くの 존경어.

15
N5 **おる**

있다

ずっと ここに おりました。
줄곧 여기 있었습니다.

お待(ま)ちしておりました。
기다리고 있었습니다.

いるの 겸양어.

16
N4 **おいでになる**

가시다, 오시다, 나가시다, 계시다

ようこそ おいでになりました。
잘 오셨습니다. (환영인사)

おや、もう おいでですか。
아이구, 벌써 나오셨습니까?

行く, 来る, 出る, いる, おる의 존경어.

17
N4 **ござる**
5自

ます형은 ございます

あるの 공손한 말

在庫(ざいこ)は ございます。
재고는 있습니다.

ずっと あそこに ございました。
줄곧 거기 있었습니다.

です(입니다)의 공손한 표현은 でございます.

18
N4 **参(まい)る**
5自

가다, 오다

神社(じんじゃ)に 行(い)って参(まい)りました。
신사에 다녀왔습니다. (←行ってきました)

さあ、参(まい)りましょうか。
자, 가실까요? (←行きましょうか)

行(い)く, 来(く)る의 겸양어.

경어 04 그 밖에 자주 쓰는 말

19 N4 **おっしゃる** 5他

말씀하시다

おっしゃる 通(とお)りです。
지당하신 말씀입니다.

なんでも おっしゃってください。
뭐든지 말씀해 주세요.

言う, 話(はな)す의 존경어.

20 N4 **申(もう)す** 5他

言う의 겸양어 = 申(もう)し上(あ)げる

私(わたくし)、田村(たむら)と 申(もう)します。
저, 다무라라고 합니다.

私(わたし)の方(ほう)からも 一言(ひとこと)申(もう)し上(あ)げます。
저도 한 말씀 드리겠습니다.

申し上げる 말씀드리다

21 N4 **伺(うかが)う** 5自

여쭈다, 방문하다

これから 伺(うかが)っても よろしいですか。
지금부터 찾아뵈어도 괜찮습니까?

先生(せんせい)に 伺(うかが)いました。
선생님께 여쭸습니다.

'묻다, 찾아가다'의 겸양 표현.

22
N2
ご存(ぞん)じだ

아시다

ご存(ぞん)じの 通(とお)りです。
알고 계시는 대로입니다.

皆(みな)さんも よく ご存(ぞん)じの 方(かた)です。
여러분도 잘 아시는 분입니다.

知(し)る의 존경어.

23
N4
ご覧(らん)になる

보시다 * 見(み)る의 존경어

あの映画(えいが)は ご覧(らん)になりましたか。
그 영화는 보셨나요?

今(いま) ご覧頂(らんいただ)いた 絵(え)は ピカソの作品(さくひん)です。
지금 보신 그림은 피카소의 작품입니다.

겸양어 '삼가 보다'는 拝見(はいけん)する.

24
N3
お目(め)にかかる

만나뵙다

お目(め)に かかりたいと 思(おも)っていました。
만나뵙고 싶었습니다.

また お目(め)にかかるよう 願(ねが)っております。
다시 뵙게 되기를 바라고 있습니다.

会(あ)う(만나다)의 겸양어.

경어 05 경어공식-상대를 높이는 말

25 N4

お(ご)~になる

~하시다

書(か)く 쓰다 → お書(か)きになる 쓰시다

帰(かえ)る 돌아가다 → お帰(かえ)りになる 돌아가시다

もう お帰(かえ)りになるんですか。

벌써 가실려구요?

대부분의 동사는 이 형태로 바꿀 수 있다.

26 N4

お(ご)~です

~하고 계시다

先生(せんせい)は どのように お考(かんが)えですか。

선생님은 어떻게 생각하십니까?

ご乗車(じょうしゃ)の方(かた)は こちらへ どうぞ。

승차하실 분은 이쪽으로 오세요.

주로 お(ご)~の(~하실)형으로 많이 쓴다.

27 N4

お(ご)~ください

~해 주세요

お名前(なまえ)と ご住所(じゅうしょ)を ご記入(きにゅう)ください。

성함과 주소를 기입해 주십시오.

少々(しょうしょう) お待(ま)ちください。

잠시만 기다려 주십시오.

정중한 명령형으로 일반적으로 많이 쓴다.

명사와 형용사의 존경표현

1. 주로 한자어에는 ご, 순수일본어에는 お가 붙는다. (예외도 있음)

名前(なまえ)	이름	**→ お名前**	성함
住(す)まい	사는 곳	**→ お住まい**	사시는 곳
つもり	작정	**→ おつもり**	작정
電話(でんわ)	전화	**→ お電話**	전화
時間(じかん)	시간	**→ お時間**	시간
住所(じゅうしょ)	주소	**→ ご住所**	주소
主人(しゅじん)	남편	**→ ご主人**	부군되시는 분
予定(よてい)	예정	**→ ご予定**	예정
忙(いそが)しい	바쁘다	**→ お忙しい**	바쁘시다
ひまだ	한가하다	**→ おひまだ**	한가하시다

2. 다음과 같은 말들은 관용적으로 붙여서 쓰는 경우이다.

お祝(いわ)い	축하	**お陰(かげ)**	덕분
お菓子(かし)	과자	**お金(かね)**	돈
お酒(さけ)	술	**お皿(さら)**	접시
お宅(たく)	댁	**お茶(ちゃ)**	차
お手洗(てあらい)	화장실	**お弁当(べんとう)**	도시락
お祭(まつ)り	축제	**お見舞(みま)い**	문안
お土産(みやげ)	선물	**お礼(れい)**	인사, 사례
ご馳走(ちそう)	맛있는 음식	**ご飯(はん)**	밥

경어 06 경어공식-자신을 낮추는 말

28
N4
お(ご)~する

~해 드리다

決まりしだい ご連絡します。
결정되는 대로 연락드리겠습니다.

合格者を お知らせします。
합격자를 알려드리겠습니다.

する를 いたす로 바꾸면 더욱 정중하게 들린다.

29
N4
お(ご)~いただく

5他

~해 주시다

お分かりいただけたらと 思いますが。
이해해 주셨으면 합니다만.

写真は 郵便で 送っていただきました。
사진은 우편으로 보내주셨습니다.

상대방이 나에게 뭔가를 해 준 경우.

30
N4
お(ご)~願う

5自

~하시길 바라다

前向きに ご検討 願います。
전향적으로(긍정적으로) 검토 바랍니다.

至急 ご返事 願います。
급히 답신 바랍니다.

약간 딱딱한 표현.

8-06▶

경어가 들어간 회화표현

- 社長(しゃちょう)、例(れい)のことは おくさまには おっしゃってないんですね?

  사장님 그 말씀은 사모님께 안 하셨지요?

- ご主人(しゅじん)は いらっしゃいますでしょうか。

  부군되시는 분 계십니까?

- ご主人(しゅじん)は 出社(しゅっしゃ)されておりませんが…。

  부군되시는 분은 출근하시지 않으셨습니다만….

- 社長(しゃちょう)は おいでになっています。

  사장님은 나와 계십니다.

- どうぞ おかけください。

  자, 앉으세요.

- お上手(じょうず)でしたわ、本当(ほんとう)に。

  잘하셨어요. 정말. (여성어)

- おともだちですって?

  친구분이시라구요?

- お聞(き)きしたいことが ありまして…。

  여쭤보고 싶은 것이 있어서요.

- わたくし、しまおの 家内(かない)でございますが…。

  저, 시마오의 안사람입니다만….

- わたしも それを 申(もう)しあげに 来(き)たんです。

  저도 그걸 말씀드리려고 온 것입니다.

(일본소설 중에서)

경어 확인문제

※ 다음 동사를 존경어(~하시다)로 바꾸시오.

1. 読む ____________________

2. 書く ____________________

3. 食べる ____________________

4. 行く ____________________

5. 来る ____________________

6. 知っている ____________________

7. 乗る ____________________

8. 見る ____________________

9. 話す ____________________

10. 帰る ____________________

1. およみになる 2. おかきになる 3. めしあがる
4. いらっしゃる/おいでになる 5. いらっしゃる/おいでになる
6. ごぞんじだ/ごぞんじである 7. おのりになる
8. ごらんになる 9. おっしゃる
10. おかえりになる

※ 다음 문장의 밑줄 친 부분을 경어표현으로 바꾸시오.

1. ここを 見てください。　　　　(　　　　　　　　)

2. どうぞ 食べてください。　　　　(　　　　　　　　)

3. おすしは 好きですか。　　　　(　　　　　　　　)

4. 明日1時に 行きます。　　　　(　　　　　　　　)

5. コーヒー 飲みますか。　　　　(　　　　　　　　)

6. 少々 待ってください。　　　　(　　　　　　　　)

7. 私が 電話します。　　　　(　　　　　　　　)

8. 先生が くれた 本。　　　　(　　　　　　　　)

9. 忙しいですか。　　　　(　　　　　　　　)

10. 名前はなんですか。　　　　(　　　　　　　　)

경어

정답

1. ごらんになってください。
2. めしあがってください。
3. おすきですか。
4. まいります。
5. おのみになりますか。
6. おまちください。
7. おでんわいたします。
8. くださった
9. おいそがしい
10. おなまえ

경어 종합문제

※ 괄호에 お나 ご를 써 넣으시오.

1. (　　)菓子

2. (　　)飯

3. (　　)土産

4. (　　)主人

5. (　　)祝い

6. (　　)電話

7. (　　)名前

8. (　　)礼

9. (　　)つもり

10. (　　)予定

11. (　　)手洗い

12. (　　)茶

정답 1. お　2. ご　3. お　4. ご　5. お　6. お　7. お　8. お　9. お　10. ご　11. お　12. お

※ 다음 빈칸에 들어갈 적당한 표현을 고르시오.

1. レポートの件は私が先生に ________ 。

① 言いました　② 話しました
③ お話ししました　④ おっしゃいました

2. この指輪は母から ________ 。

① もらいました　② いただきました
③ あげました　④ くれました

3. これからお宅に ________ よろしいですか。

① 行っても　② うかがっても
③ いらっしゃっても　④ おいでになっても

4. 先生、すみませんが、ここで少し ________ 。

① 待ちますか　② 待ってくれますか
③ お待ちしましょうか　④ お待ちいただけますか

5. 先生は来年日本に ________ そうです。

① 帰る　② おる
③ お帰りになる　④ お帰りする

정답 1. ③ 2. ① 3. ② 4. ④ 5. ③

製作(せいさく)와 制作(せいさく)

'제작'이란 말은 한자어로 「製作(せいさく)」와 「制作(せいさく)」 두 가지가 있는데, 발음도 같고, 한자도 비슷하여 흔히 일본어 능력 시험의 한자읽기문제에 자주 나오는 단어이다.

「製作(せいさく)」는 실용적인 물품이나 도구 등을 만드는 일로서, 예를 들어 「自動車(じどうしゃ)を製作(せいさく)する」(자동차를 제작하다), 「家具(かぐ)の製作所(せいさくしょ)(가구 제작소)와 같이 쓴다.

한편 「制作(せいさく)」는 자신의 의도에 따라 예술작품 등을 만드는 일에 사용하는데, 특히 미술, 영화, 방송 등의 창작활동을 표현할 때 즉, 「展覧会(てんらんかい)の作品(さくひん)を制作(せいさく)する。」(전람회 작품을 제작하다), 「ドラマ制作部(せいさくぶ)」(드라마 제작부) 등과 같이 쓴다.

이와 비슷한 표현으로 「作製(さくせい)」와 「作成(さくせい)」가 있는데, 「作製(さくせい)」는 기계나 도구를 이용하여 물건을 만드는 일 –「地図(ちず)を作製する」(지도를 제작하다), 「作成(さくせい)」는 주로 서류나 문장, 예산, 기획 등을 작성할 때 –「試験問題(しけんもんだい)を作成する(시험문제를 작성하다)」와 같이 쓴다.

09
명사

명사 01 사람에 관련된 단어

1 신체

足	あし	발, 다리(脚)
頭	あたま	머리
腕	うで	팔, 재능
お腹	おなか	배
顔	かお	얼굴
肩	かた	어깨
髪	かみ	머리카락
体	からだ	몸
口	くち	입
首	くび	목
声	こえ	목소리
背	せ(せい)	키
背中	せなか	등
手	て	손
歯	は	치아
鼻	はな	코
髭	ひげ	수염
膝	ひざ	무릎
肘	ひじ	팔꿈치
胸	むね	가슴
指	ゆび	손가락

9-01▸

2 가족

兄	あに	형, 오빠
姉	あね	누나, 언니
妹	いもうと	여동생
お母さん	おかあさん	어머니
奥さん	おくさん	부인
お子さん	おこさん	자제, 자녀분
伯父・叔父	おじ(=おじさん)	숙부, 아저씨
お祖父さん	おじいさん	할아버지
お父さん	おとうさん	아버지
弟	おとうと	남동생
伯母・叔母	おば(=おばさん)	숙모, 아주머니
家族	かぞく	가족
家内	かない	부인, 처
兄弟	きょうだい	형제
主人	しゅじん	남편
祖父	そふ	조부
祖母	そぼ	조모
父	ちち	아버지
~ちゃん		호칭(さん보다 다정한)
妻	つま	아내
両親	りょうしん	양친, 부모

3 직업 · 인간관계

医者	いしゃ	의사
運転手	うんてんしゅ	운전수
会社員	かいしゃいん	회사원
看護婦	かんごふ	간호사
記者	きしゃ	기자
客	きゃく	손님, 고객
銀行員	ぎんこういん	은행원
警察官	けいさつかん	경찰관
公務員	こうむいん	공무원
社長	しゃちょう	사장
消防士	しょうぼうし	소방사
選手	せんしゅ	선수
団体	だんたい	단체
店員	てんいん	점원
読者	どくしゃ	독자
隣	となり	이웃
友達	ともだち	친구
泥棒	どろぼう	도둑
歯医者	はいしゃ	치과의사
秘書	ひしょ	비서
美容師	びようし	미용사

弁護士	べんごし	변호사

4 호칭

赤ちゃん	あかちゃん	아기
赤坊	あかんぼう	갓난 아기
あなた		당신, 너
お嬢さん	おじょうさん	아가씨
お宅	おたく	댁(집의 높임말)
男	おとこ	남자
男の子	おとこのこ	사내 아이
大人	おとな	어른
女	おんな	여자
女の子	おんなのこ	여자 아이
女の人	おんなのひと	여자
彼女	かのじょ	그녀
彼	かれ	그, 그사람
彼等	かれら	그들
君	きみ	당신
~君	くん	~군
子	こ	아이
子供	こども	어린이
女子	じょし	여자

女性	じょせい	여성
少年	しょうねん	소년
先輩	せんぱい	선배
男子	だんし	남자
男性	だんせい	남성
僕	ぼく	나(남자 용어)
皆	みな · みんな	여러분
息子さん	むすこさん	아드님
娘さん	むすめさん	따님
私	わたし · わたくし	나, 저

5 병

胃腸薬	いちょうやく	위장약
風邪	かぜ	감기
風邪薬	かぜぐすり	감기약
患者	かんじゃ	환자
救急車	きゅうきゅうしゃ	앰뷸런스
薬	くすり	약
高血圧	こうけつあつ	고혈압
手術	しゅじゅつ	수술
診断書	しんだんしょ	진단서
咳	せき	기침
退院	たいいん	퇴원

血	ち	피
注射	ちゅうしゃ	주사
鎮痛制	ちんつうざい	진통제
入院	にゅういん	입원
病院	びょういん	병원
薬局	やっきょく	약국

6 의복

上着	うわぎ	상의
絹	きぬ	견, 실크
着物	きもの	의복, 기모노
靴	くつ	신발
靴下	くつした	양말
下着	したぎ	하의, 내복
ストッキング		스타킹
手袋	てぶくろ	장갑
服	ふく	옷, 의복
ブーツ		부츠
帽子	ぼうし	모자
耳	みみ	귀
目	め	눈
木綿	もめん	목면
洋服	ようふく	양복

명사 04 물건 · 건물에 관련된 단어

1 개인 소지품

腕時計	うでどけい	손목시계
鍵	かぎ	열쇠
傘	かさ	우산
鏡	かがみ	거울
鞄	かばん	가방
カメラ		카메라
携帯	けいたい	휴대폰
財布	さいふ	지갑
品物	しなもの	물건
ティッシュ		티슈
眼鏡	めがね	안경
指輪	ゆびわ	반지

2 집

家	いえ, うち	집
糸	いと	실
椅子	いす	의자
お皿	おさら	접시
応接間	おうせつま	응접실
押入れ	おしいれ	서랍
おもちゃ		장난감

壁	かべ	벽
花瓶	かびん	꽃병
玄関	げんかん	현관
コンピューター		컴퓨터
ゴミ箱	ごみばこ	휴지통
ごみ		쓰레기
せっけん		비누
タオル		수건
畳	たたみ	다다미
棚	たな	선반
台所	だいどころ	부엌
暖房	だんぼう	난방
茶わん	ちゃわん	밥그릇, 공기
机	つくえ	책상
電気	でんき	전기
電灯	でんとう	전등
道具	どうぐ	도구
時計	とけい	시계
人形	にんぎょう	인형
灰皿	はいざら	재털이
箱	はこ	상자
橋	はし	다리(교각)
箸	はし	젓가락

명사 05 물건 · 건물에 관련된 단어

布団	ふとん	이불
風呂	ふろ	욕조, 욕실
部屋	へや	방
本棚	ほんだな	책장
窓	まど	창, 창문
冷蔵庫	れいぞうこ	냉장고

 학교 · 학습

医学	いがく	의학
椅子	いす	의자
英語	えいご	영어
鉛筆	えんぴつ	연필
学校	がっこう	학교
紙	かみ	종이
漢字	かんじ	한자
教室	きょうしつ	교실
作文	さくぶん	작문
辞書	じしょ	사전
授業	じゅぎょう	수업
宿題	しゅくだい	숙제
先生	せんせい	선생님
大学	だいがく	대학
休み	やすみ	방학, 휴일

庭	にわ	정원
話	はなし	이야기
本	ほん	책
本棚	ほんだな	책장
万年筆	まんねんひつ	만년필
留学生	りゅうがくせい	유학생
会話	かいわ	회화
課外	かがい	과외
科学	かがく	과학
企業	きぎょう	기업
講義	こうぎ	강의
高校	こうこう	고등학교
高校生	こうこうせい	고등학생
校長	こうちょう	교장
試験	しけん	시험
小学校	しょうがっこう	초등학교
数学	すうがく	수학
卒業	そつぎょう	졸업
入学	にゅうがく	입학
復習	ふくしゅう	복습
文法	ぶんぽう	문법
勉強	べんきょう	공부

명사 06 **물건 · 건물에 관련된 단어**

4 건물 · 시설

アパート		아파트
入り口	いりぐち	입구
一戸建て	いっこだて	단독주택
映画館	えいがかん	영화관, 극장
駅	えき	역
屋上	おくじょう	옥상
お手洗	おてあらい	화장실
喫茶店	きっさてん	찻집
銀行	ぎんこう	은행
機械	きかい	기계
教会	きょうかい	교회
空港	くうこう	공항
劇場	げきじょう	극장
公園	こうえん	공원
交番	こうばん	파출소
工場	こうじょう	공장
講堂	こうどう	강당
事務所	じむしょ	사무실, 사무소
市役所	しやくしょ	시청
食堂	しょくどう	식당
スーパーマーケット		슈퍼마켓
大使館	たいしかん	대사관

団地	だんち	단지
地下	ちか	지하
寺	てら	절
出口	でぐち	출구
所	ところ	장소, 곳
図書館	としょかん	도서관
ビル		빌딩
病院	びょういん	병원
町	まち	마을, 고장
店	みせ	가게
道	みち	길, 도로
八百屋	やおや	야채가게
動物園	どうぶつえん	동물원
通り	とおり	길
床屋	とこや	이발소
飛行場	ひこうじょう	비행장
美術館	びじゅつかん	미술관
船(舟)	ふね	배(교통수단)
マンション		맨션
港	みなと	항구
郵便局	ゆうびんきょく	우체국

명사 07 **물건・건물에 관련된 단어**

5 탈 것

往復	おうふく	왕복
汽車	きしゃ	기차
急行	きゅうこう	급행
切符	きっぷ	표, 티켓
車	くるま	자동차
交通	こうつう	교통
自転車	じてんしゃ	자전거
自動車	じどうしゃ	자동차
席	せき	자리, 좌석
地下鉄	ちかてつ	지하철
電車	でんしゃ	전차, 전철
電話	でんわ	전화
特急	とっきゅう	특급

6 위치

上	うえ	위
後	うしろ	뒤
表	おもて	표면밖, 바깥부분
角	かど	모서리
北	きた	북(쪽)
近所	きんじょ	근처

隅	すみ	구석, 모퉁이
下	した	밑, 아래
外	そと	바깥
側	そば	옆
中心	ちゅうしん	중심
中	なか	중간, 가운데
西	にし	서쪽
東	ひがし	동쪽
左	ひだり	왼쪽
辺り	あたり	주변, 근처
前	まえ	앞(공간)
周り	まわり	주변, 주위
真ん中	まんなか	한가운데
右	みぎ	오른쪽
南	みなみ	남쪽
向い	むかい	맞은편
向う	むこう	건너편
横	よこ	옆
両方	りょうほう	양쪽

명사 08 **자연 · 시간에 관련된 단어**

1 동물

イルカ		돌고래
犬	いぬ	개
兎	うさぎ	토끼
馬	うま	말
牛	うし	소
鴨	かも	오리
カンガルー		캥거루
かば		하마
狐	きつね	여우
キリン		기린
熊	くま	곰
小鳥	ことり	작은 새
猿	さる	원숭이
象	ぞう	코끼리
雀	すずめ	참새
虎	とら	호랑이
鳥	とり	새
動物	どうぶつ	동물
鶏	にわとり	닭
鳩	はと	비둘기
ひよこ		병아리

豚	ぶた	돼지
虫	むし	벌레
猫	ねこ	고양이
ライオン		사자
わに		악어

2 날씨

雨	あめ	비
風	かぜ	바람
霧	きり	안개
雲	くも	구름
天気	てんき	날씨
天気予報	てんきよほう	일기예보
雪	ゆき	눈

3 계절 · 자연

池	いけ	연못
石	いし	돌
海	うみ	바다
枝	えだ	가지
川(河)	かわ	강
木	き	나무
季節	きせつ	계절

자연 · 시간에 관련된 단어

空気	くうき	공기
草	くさ	풀
雲	くも	구름
景色	けしき	경치
地震	じしん	지진
空	そら	하늘
砂	すな	모래
台風	たいふう	태풍
臭い	におい	냄새
花	はな	꽃
葉	は	잎(새)
春	はる	봄
日	ひ	날, 태양
火	ひ	불
冬	ふゆ	겨울
富士山	ふじさん	후지산
星	ほし	별
水	みず	물
湖	みずうみ	호수
緑	みどり	녹색, 수풀
山	やま	산
川	かわ	강

4 시간 · 때

間	あいだ	기간, 동안
秋	あき	가을
朝	あさ	아침
明後日	あさって	모레
明日	あした · あす	내일
後	あと	나중, 후
今	いま	지금
一昨日	おととい	엊그제
一昨年	おととし	재작년
今日	きょう	오늘
去年	きょねん	작년
金曜日	きんようび	금요일
今朝	けさ	오늘 아침
現在	げんざい	현재
午後	ごご	오후
午前	ごぜん	오전
今年	ことし	올해
今月	こんげつ	이번 달
今週	こんしゅう	이번 주
今晩	こんばん	오늘 저녁
今度	こんど	이번, 금번

명사 10 ## 자연 · 시간에 관련된 단어

今夜	こんや	오늘 밤
再来年	さらいねん	내후년
最近	さいきん	최근
最後	さいご	최후, 마지막
最初	さいしょ	최초, 처음
最高	さいこう	최고
最終	さいしゅう	최종
再来月	さらいげつ	다다음 달
再来週	さらいしゅう	다다음 주
正月	しょうがつ	정월, 1월
正午	しょうご	정오
時間	じかん	시간
先月	せんげつ	지난 달
先週	せんしゅう	지난 주
その日	そのひ	그날
次	つぎ	다음
当時	とうじ	당시
時	とき	때
年	とし	해
夏	なつ	여름
晩	ばん	밤
昼	ひる	낮

昼間	ひるま	낮(시간)
昼休み	ひるやすみ	점심시간
毎月	まいげつ · まいつき	매월, 매달
毎週	まいしゅう	매주
毎年	まいとし	매년, 해마다
毎日	まいにち	매일
毎晩	まいばん	매일 밤
昔	むかし	옛날
夕方	ゆうがた	저녁무렵
夕べ	ゆうべ	어제 저녁
夜	よる	밤
来月	らいげつ	다음 달
来週	らいしゅう	다음 주
来年	らいねん	다음 해, 내년

명사 11 | 사회 · 문화에 관련된 단어

 사회 · 경제 · 통신

田舎	いなか	시골
円	えん	엔(일본의 화폐 단위)
お金	おかね	돈
外国	がいこく	외국
外国人	がいこくじん	외국인
会社	かいしゃ	회사
切手	きって	우표
切符	きっぷ	표, 티켓
教育	きょういく	교육
国	くに	나라
経済	けいざい	경제
月給	げっきゅう	월급
景気	けいき	경기
郊外	こうがい	교외
工業	こうぎょう	공업
国際	こくさい	국제
国民	こくみん	국민
雑誌	ざっし	잡지
社会	しゃかい	사회
収入	しゅうにゅう	수입
所得	しょとく	소득

新聞社	しんぶんしゃ	신문사
仕事	しごと	일
新聞	しんぶん	신문
水道	すいどう	수도
政治	せいじ	정치
生活	せいかつ	생활
政府	せいふ	정부
西洋	せいよう	서양
世界	せかい	세계
選挙	せんきょ	선거
手紙	てがみ	편지
電報	でんぽう	전보
地方	ちほう	지방
通信	つうしん	통신
変化	へんか	변화
貿易	ぼうえき	무역
法律	ほうりつ	법률
本社	ほんしゃ	본사
村	むら	마을
野党	やとう	야당
与党	よとう	여당
両替 ¥ ⇋ $	りょうがえ	환전

명사 12 사회 · 문화에 관련된 단어

2 문화(취미 · 스포츠 · 영화 · 책)

歌	うた	노래
絵	え	그림
映画	えいが	영화
音楽	おんがく	음악
遊び	あそび	놀이
踊り	おどり	춤
お祭り	おまつり	축제, 마츠리
買い物	かいもの	장보기, 쇼핑
辞書	じしょ	사전
柔道	じゅうどう	유도
水泳	すいえい	수영
煙草	たばこ	담배
食べ物	たべもの	음식, 먹을 것
卵	たまご	계란
誕生日	たんじょうび	생일
電気	でんき	전기
登山	とざん	등산
展覧会	てんらんかい	전람회
日記	にっき	일기
花見	はなみ	꽃구경
文化	ぶんか	문화

文学	ぶんがく	문학
漫画	まんが	만화

3 추상명사(꿈 · 희망…)

朝寝坊	あさねぼう	잠꾸러기
安全	あんぜん	안전
応答	おうとう	응답
以下	いか	이하
以外	いがい	이외
意見	いけん	의견
意味	いみ	의미
以上	いじょう	이상
以内	いない	이내
受付	うけつけ	접수
嘘	うそ	거짓말
お祝い	おいわい	축하(선물)
お礼	おれい	감사의 인사
終(り)	おわり	마지막, 끝
～家	か	～가
外国	がいこく	외국
海外	かいがい	해외
火事	かじ	화재
カタカナ		가타카나

명사 13 사회 · 문화에 관련된 단어

形	かたち	형태
活動	かつどう	활동
格好	かっこう	모양, 꼴
(お)金持ち	(お)かねもち	부자
気	き	기, 기운, 마음
機会	きかい	기회
技術	ぎじゅつ	기술
期待	きたい	기대
規則	きそく	규칙
気分	きぶん	기분
希望	きぼう	희망
基本	きほん	기본
気持ち	きもち	마음, 기분
興味	きょうみ	흥미
果物	くだもの	과일
原因	げんいん	원인
現実	げんじつ	현실
現代	げんだい	현대
行動	こうどう	행동
国内	こくない	국내
言葉	ことば	말(言語)
字	じ	글자
実際	じっさい	실제

試合	しあい	시합
～式	しき	～식
事件	じけん	사건
事故	じこ	사고
時代	じだい	시대, 시절
自分	じぶん	자신
自由	じゆう	자유
重要	じゅうよう	중요
習慣	しゅうかん	습관
住所	じゅうしょ	주소
出演	しゅつえん	출연
使用	しよう	사용
小説	しょうせつ	소설
将来	しょうらい	장래
成功	せいこう	성공
成長	せいちょう	성장
説明	せつめい	설명
線	せん	선
全体	ぜんたい	전체
専門	せんもん	전문
相談	そうだん	상담

명사 14 사회・문화에 관련된 단어

担当	たんとう	담당
楽しみ	たのしみ	즐거움
ため		위함, 유익
力	ちから	힘
注意	ちゅうい	주의
都合	つごう	사정, 경우
つもり		예정, 속셈
程度	ていど	정도
点	てん	점
道具	どうぐ	도구
努力	どりょく	노력
児童詩	じどうし	동시
名前	なまえ	이름
人間	にんげん	인간
人気	にんき	인기
場合	ばあい	경우
倍	ばい	배
番号	ばんごう	번호
発表	はっぴょう	발표
病気	びょうき	병
平仮名	ひらがな	히라가나
普通	ふつう	보통
～風	～ふう	～풍

目的	もくてき	목적
休み	やすみ	휴식, 휴가
夢	ゆめ	꿈
用事	ようじ	볼 일, 용무
予約	よやく	예약
理由	りゆう	이유
旅行	りょこう	여행
歴史	れきし	역사
忘れ物	わすれもの	분실물, 유실물
賄賂	わいろ	뇌물

명사 15

회사에 관련된 단어

隠退 / 引退	いんたい	은퇴
会議	かいぎ	회의
会社	かいしゃ	회사
会長	かいちょう	회장
課長	かちょう	과장
企画	きかく	기획
休暇	きゅうか	휴가
月給取り	げっきゅうとり	월급쟁이
コピー		복사
書類	しょるい	서류
社員	しゃいん	사원
社長	しゃちょう	사장
新入	しんにゅう	신입
出張	しゅっちょう	출장
昇進	しょうしん	승진
出勤	しゅっきん	출근
失業	しつぎょう	실업
辞職	じしょく	사직
成果給	せいかきゅう	성과급
退社	たいしゃ	퇴사
退職	たいしょく	퇴직
代理	だいり	대리

遅刻	ちこく	지각
勤め先	つとめさき	근무처
取締役	とりしまりやく	이사
年金	ねんきん	연금
年俸	ねんぽう	연봉
部長	ぶちょう	부장
ボーナス		보너스
無職	むしょく	무직
リストラ		정리해고
休み	やすみ	결근, 휴가

명사 16

음식에 관련된 단어

味	あじ	맛
朝御飯	あさごはん	아침밥
お菓子	おかし	과자
お酒	おさけ	술
お茶	おちゃ	차
おやつ		간식
牛肉	ぎゅうにく	쇠고기
牛乳	ぎゅうにゅう	우유
果物	くだもの	과일
ご飯	ごはん	밥, 식사
米	こめ	쌀
魚	さかな	생선
砂糖	さとう	설탕
塩	しお	소금
醤油	しょうゆ	간장
食料品	しょくりょうひん	식료품
スプーン		스푼
チャーハン		볶음밥
鶏肉	とりにく	닭고기
肉	にく	고기
飲み物	のみもの	마실 것, 음료
晩御飯	ばんごはん	저녁식사

昼御飯	ひるごはん	점심식사
豚肉	ぶたにく	돼지고기
ぶどう		포도
弁当	べんとう	도시락
味噌汁	みそしる	된장국
野菜	やさい	야채
湯	ゆ	뜨거운 물
夕飯	ゆうはん	저녁식사
料理	りょうり	요리

조수사 · 접미어

~回	かい	회(횟수)
~階	かい	층
~学部	がくぶ	~학부
~ヶ月	かげつ	~개월
~側	がわ	~측
~君	くん	~군
~個	こ	~개
~語	ご	~어
~歳	さい	~세(나이)
~冊	さつ	~권(책)
~様	さま	~님, 귀하
~時	じ	~시
~週間	しゅうかん	~주간, 주일
~ずつ		~씩
~製	せい	~제
~台	だい	~대(기계 · 자동차)
~代	だい	~대
~たち		~들(사람복수)
~度	ど	~번(횟수)
~等	など	~등(복수)
何日間	なんにちかん	며칠간
何番目	なんばんめ	몇 번째

～人	にん	～명
～泊	はく·ぱく	～박
～半	はん	～반
～番	ばん	～번
～日	ひ	～날
～匹	ひき	～마리(작은 동물)
～秒	びょう	～초(시간)
～分	ふん	～분(시간)
～本	ほん	～자루(긴 것)
～枚	まい	～장(종이같이 얇은 것)
～前	まえ	～전(시간)
～目	め	～째
～屋	や	～하는 사람, 가게

명사 **종합문제**

※ 밑줄 친 말을 히라가나로 쓰시오.

1. 朝寝坊(　　　　　)して、学校(　　　　　)に遅(　　　　　)れてしまった。

2. 毎年(　　　　　)夏休(　　　　　)みになると、旅行(　　　　　)をします。

3. 今日の試験(　　　　　)では政治(　　　　　)や歴史問題(　　　　　)が多かったです。

4. 最近選挙(　　　　　)で与党(　　　　　)が野党(　　　　　)に負けました。

5. 明日(　　　　　)はお父(　　　　　)さんと公園(　　　　　)に行きます。

6. 弟(　　　　　)は風邪(　　　　　)をひいて病院(　　　　　)に行きました。

7. 私は日本語(　　　　　)と英語(　　　　　)中国語(　　　　　)ができます。

8. 教室(　　　　　)の中には机(　　　　　)や 椅子(　　　　　)などがあります。

9. 夕方(　　　　　)友達(　　　　　)と一緒に宿題(　　　　　)をしました。

※ 밑줄 친 곳에 들어갈 알맞은 단어를 고르시오.

10. 分らない言葉は ________ を引いて下さい。

① 単語　　② 本
③ 新聞　　④ 辞書

11. ________ 中(ちゅう)は静かにしましょう。

① 遊び　　② 休み
③ 授学　　④ 食事

12. あなたは車が ________ できますか。

① 運転　　② 自由
③ 留学　　④ 免許

13. りんごやみかんなどの ________ は体によい。

① 野菜　　② 果物
③ 魚　　④ 肉

14. ________ を送るため郵便局に行った。

① 電話　　② 音楽
③ 体み　　④ 手紙

15. 今中学3年生ですから、来年 ________ になります。

① 高校生　　② 大学生
③ 小学生　　④ 大人

16. ここに電話番号と ________ を書いて下さい。
   ① お宅　② 住所
   ③ 近所　④ 興味

17. 友達と一緒に先生の ________に行きました。
   ① 田舎　② お見舞
   ③ お祭り　④ お礼

18. 数学や科学は ________ が大事です。
   ① 気待　② 規則
   ③ 景気　④ 基本

19. 彼と私は先輩と後輩の ________です。
   ① 専門　② 関係
   ③ 担当　④ 人間

20. この ________ はどうすればいいですか。
   ① 都合　② 場合
   ③ 目的　④ 用事

정답

1. あさねぼう, がっこう, おく
2. まいねん/まいとし, なつやす, りょこう
3. しけん, せいじ, れきしもんだい
4. せんきょ, よとう, やとう
5. あした/あす, とう, こうえん
6. おとうと, かぜ, びょういん
7. にほんご, えいご, ちゅうごくご
8. きょうしつ, つくえ, いす
9. ゆうがた, ともだち, しゅくだい

10. ④ 11. ④ 12. ① 13. ② 14. ④ 15. ①
16. ② 17. ② 18. ④ 19. ② 20. ②

送(おく)り仮名(がな)에 대해

일본어를 공부하다 보면 같은 한자라도 경우에 따라서 送(おく)り仮名(がな)를 붙이기도 하고 붙이지 않기도 하는 것을 종종 볼 수 있다.

예를 들어 '踏切(ふみきり)'란 단어는 「踏切」와 「踏み切り」 두 가지 표기방식이 있는데, 「踏切」는 철도 등의 건널목이란 뜻이고, 「踏み切り」는 '마음먹고 실행하다'라는 뜻으로, '건널목'의 뜻으로 쓸 때는 관용적으로 送(おく)り仮名(がな)를 붙이지 않는다.

이처럼, 送(おく)り仮名(がな)를 표기하지 않는 단어로 자주 눈에 띄는 것으로는, 関取(せきとり : 씨름 계급의 하나인 大関(おおぜき)의 옛 이름), 座敷(ざしき 다다미방, 특히 접객실), 番組(ばんぐみ 프로그램), 立場(たちば 입장), 植木(うえき 식목), 役割(やくわり 역할) 등이 있다.

또, 送(おく)り仮名(がな)에 의해 뜻이 달라지는 경우도 있는데, 「組合(くみあい)」는 공통의 목적을 가진 사람이 이익을 위해 만든 조직으로 労働組合(노동조합)처럼 쓰이고, 「組み合い(くみあい)」는 '조합하다'는 뜻으로 赤色と白色の組み合い(빨간색과 흰색의 조합)처럼 사용한다. 이 밖에 「手当(てあて)」는 '수당', 「手当て」는 '응급처치'란 뜻으로 送(おく)り仮名(がな)에 의해 전혀 다르게 쓰이는 말들이다.

10
한자

한자 01 다른 한자를 쓰는 말

※ 한자를 보고 해당하는 것끼리 선으로 이어보세요.

01 **あう** : 만나다, 맞다, 당하다

① 友達に あう • • a. 会う
② 気が あう • • b. 合う
③ 事故に あう • • c. 遭う

02 **あく** : 열다, 비다

① ドアが あいている • • a. 開く
② 席が あいている • • b. 空く

03 **あたたかい** : 따뜻하다(온도), 따뜻하다(날씨)

① あたたかいお茶 • • a. 暖かい
② 部屋があたたかい • • b. 温かい

04 **あつい** : 뜨겁다, 덥다(날씨), 두껍다

① あつい本 • • a. 暑い
② 夏はあつい • • b. 厚い
③ あついお湯 • • c. 熱い

05 **かみ** : 종이, 머리, 신(神)

① かみに 字を 書く • • a. 紙
② かみの 毛 • • b. 神
③ かみ様 • • c. 髪

06 きく : 묻다, 듣다, 효과가 있다

① 電話番号を きく • • a. 聴く

② 講義を きく • • b. 聞く

③ 薬が きく • • c. 効く

07 きる : 자르다, 입다

① 着物を きる • • a. 切る

② 紙を はさみで きる • • b. 着る

08 なおす : 고치다(물건), 고치다(병)

① 風邪を なおす • • a. 直す

② 家を なおす • • b. 治す

09 はやい : 빠르다(시간), 빠르다(속도)

① 起きるのが はやい • • a. 速い

② 飛行機は はやい • • b. 早い

10 やさしい : 다정하다, 쉽다

① やさしい 人 • • a. 優しい

② やさしい 問題 • • b. 易しい

한자

정답

1. ① a ② b ③ c
2. ① a ② b
3. ① b ② a
4. ① b ② a ③ c
5. ① a ② c ③ b
6. ① b ② a ③ c
7. ① b ②a
8. ① b ② a
9. ① b ② a
10. ① a ② b

한자 02 뜻과 한자가 다른 말

01	いがい	a. 以外(이외) : 그 밖 b. 意外(의외) : 생각 밖
02	いどう	a. 異動(이동) : 직장에서 지위나 부서가 바뀌는 것. 人事異動(じんじいどう) 인사이동. b. 移動(이동) : 다른 곳으로 움직이는 것, 장소를 바꾸는 것.
03	えいせい	a. 衛生(위생) : 병에 걸리지 않도록 청결히 하는 것. b. 衛星(위성) : 혹성 주위를 돌고 있는 작은 별. 人工衛星(じんこうえいせい) 인공위성.
04	かてい	a. 家庭(가정) : 집 b. 過程(과정) : 어떤 일을 해나가는 단계. 作業(さぎょう)の過程(かてい) 작업과정. c. 課程(과정) : 일정 기간 안에 해내야 하는 학습이나 업무의 범위. 教育課程(きょういくかてい) 교육과정.
05	きょうそう	a. 競争(경쟁) : 승부를 서로 다투는 것. b. 競走(경주) : 달리기 시합.
06	きょうどう	a. 協同(협동) : 모두가 힘을 합하여 어떤 일을 하는 것. b. 共同(공동) : 여럿이 같은 목적을 위해 힘을 합하는 것. 共同通信(きょうどうつうしん) 공동통신
07	こうほう	a. 広報(광보, 홍보) : 널리 일반에게 알리는 일. b. 公報(공보) : 관청 등에서 국민에게 알리기 위해 발행하는 기관지.

08 じゅしょう

a. 受賞(수상) : 상을 받는 것.

b. 授賞(수상) : 상을 수여하는(주는) 것.

09 みんぞく

a. 民族(민족) : 같은 땅에 살고, 같은 언어, 문화, 습관 드을 가지는 사람들의 집단.

b. 民俗(민속) : 옛부터 민간에 전해내려오는 습관이나 생활양식.

10 むきゅう

a. 無休(무휴) : 휴일이 없는 것.

b. 無給(무급) : 급여를 받지 않는 것.

한자 03 특수하게 읽는 한자

明日	あす(あした)	내일
田舎	いなか	시골
浮気	うわき	바람, 바람기
笑顔	えがお	웃는 얼굴
お母さん	おかあさん	어머니
お父さん	おとうさん	아버지
大人	おとな	어른, 성인
風邪	かぜ	감기
昨日	きのう	어제
今日	きょう	오늘
果物	くだもの	과일
今朝	けさ	오늘 아침
景色	けしき	경치
今年	ことし	금년, 올해
芝生	しばふ	잔디
上手	じょうず	능숙함, 잘함
七夕	たなばた	칠석
一日	ついたち	초하루
梅雨	つゆ	장마
手伝う	てつだう	돕다
時計	とけい	시계
友達	ともだち	친구

兄さん	にいさん	오빠, 형
姉さん	ねえさん	언니, 누나
博士	はかせ	박사
二十歳	はたち	스무살
二十日	はつか	20일
一人	ひとり	한 사람
二人	ふたり	두 사람
二日	ふつか	이틀
下手	へた	서툼
部屋	へや	방
迷子	まいご	미아
真っ赤	まっか	새빨감
真っ青	まっさお	새파람
土産	みやげ	선물
息子	むすこ	아들
眼鏡	めがね	안경
八百屋	やおや	야채가게

한자 04 1,2급 특수음 읽기

意気地	いくじ	뜻, 기개, 배짱
為替	かわせ	환율
玄人	くろうと ↔ 素人(しろうと)	베테랑
心地	ここち	심지, 마음씨
雑魚	ざこ	잡어
五月晴れ	さつきばれ	5월의 맑은 날씨
五月雨	さみだれ	5월에 내리는 비
時雨	しぐれ	늦가을에 내리는 비
清水	しみず	청수
三味線	しゃみせん	일본의 전통 현악기
砂利	じゃり	자갈
白髮	しらが	백발
素人	しろうと	초심자, 아마추어
師走	しわす(しはす)	12월을 뜻함
相撲	すもう	스모
凸凹	でこぼこ	요철, 올록볼록함
仲人	なこうど	중매인
名残	なごり	자취, 여운, 흔적
雪崩れ	なだれ	눈사태
裸足	はだし	맨발
日和	ひより	화창한 날씨
吹雪	ふぶき	눈보라

紅葉	もみじ	단풍
木綿	もめん	목면, 면
最寄り	もより	가장 가까움
八百長	やおちょう	미리 짜고 함
大和	やまと	일본의 옛이름
浴衣	ゆかた	목욕후에 입는 무명 홑옷
行方	ゆくえ	행방
行方不明	ゆくえふめい	행방불명
若人	わこうど	젊은이

한자 05 사전을 꼭 찾게 되는 단어

雨具	あまぐ	비옷
天下り	あまくだり	낙하산(인사)
一切	いっさい	일체
上着	うわぎ	상의
上役	うわやく	상사
お節料理	おせちりょうり	설음식
合戦	かっせん	대회(大会)
彼女	かのじょ	그녀
帰依	きえ	귀의(불교)
句読点	くとうてん	구두점
工夫	くふう	연구, 궁리
境内	けいだい	경내
好事家	こうずか	호사가
黄金	こがね	황금
今昔	こんじゃく	금석(오늘날)
建立	こんりゅう	건립
財布	さいふ	지갑
酒場	さかば	술집, 주점
酒屋	さかや	술집(술만 파는 가게)
支度	したく	준비, 채비
小児科	しょうにか	소아과
歳暮	せいぼ	세모

七日	なのか	7일
女房	にょうぼう	마누라
夫婦	ふうふ	부부
布団	ふとん	요, 이불
船主	ふなぬし	선주
船便	ふなびん	배편
遺言	ゆいごん	유언
由緒	ゆいしょ	유서, 유래, 내력
留守	るす	집을 비움

한자 06 한자어 한일 비교어

※ 일본어는 훈독(또는 훈독+음독)으로 우리말은 음독으로 읽는 한자

간식		おやつ
건물	建物	たてもの
견적	見積もり	みつもり
계속하다	続ける	つづける
교환하다	取り替える	とりかえる
대사	台詞	せりふ
대폭	大幅	おおはば
도모하다	図る	はかる
생수	生水	なまみず
생방송	生放送	なまほうそう
세금포함	税込み	ぜいこみ
소식	お便り	おたより
소포	小包	こづつみ
시합	試合	しあい
송금	振り込み	ふりこみ
사전교섭	根回し	ねまわし
상회하다	上回る	うわまわる
잔고	残高	ざんだか
적자	赤字	あかじ
주식	株式	かぶしき
안경	眼鏡	めがね

음식	食べ物	たべもの
이사	引っ越し	ひっこし
탈의실	着替室	きがえしつ
합승	相乗り	あいのり
협의	打ち合わせ	うちあわせ
흑자	黒字	くろじ
휴일	休み	やすみ

※ 양국이 전혀 다른 한자를 쓰는 경우

감기(感氣)	風邪	かぜ
	感冒	かんぼう
거래(去來)	取引	とりひき
거래처(去來處)	取引先	とりひきさき
경우(境遇)	場合	ばあい
경치(景致)	景色	けしき
계산(計算)	勘定 / 会計	かんじょう / かいけい
계좌번호(計座番号)	口座番号	こうざばんごう
고생(苦生)	苦労	くろう
관청(官廳)	役所	やくしょ
공부(工夫)	勉強	べんきょう
귀중(貴中)	御中	おんちゅう
귀하(貴下)	貴下 / 様	きか / さま

한자 07 한자어 한일 비교어

근처(近處)	近所	きんじょ
노동(勞動)	労働	ろうどう
농담(弄談)	冗談	じょうだん
뇌물(賄物)	賄賂	わいろ
능숙(能熟)	上手	じょうず
장점(長点)	長所	ちょうしょ
단점(短点)	短所	たんしょ
대기업(大企業)	大手企業	おおてきぎょう
대표이사(代表理事)	代表取締役	だいひょうとりしまりやく
명함(名銜)	名刺	めいし
목수(木手)	大工	だいく
발행처(発行處)	発行所	はっこうしょ
배달(配達)	出前	でまえ
북한(北韓)	北朝鮮	きたちょうせん
비밀번호(秘密番号)	暗証番号	あんしょうばんごう
사양(辞讓)	遠慮	えんりょ
사치(奢侈)	贅沢	ぜいたく
상대(相對)	相手	あいて
삽화(挿畫)	挿絵	さしえ
생일(生日)	誕生日	たんじょうび
선물(膳物)	贈り物 / お土産	おくりもの / おみやげ
설탕(雪糖)	砂糖	さとう

성명(姓名)	氏名 / 名前	しめい / なまえ
성인(成人)	大人	おとな
소문(所聞)	噂	うわさ
수능(修能)시험	センター試験	センターしけん
수표(手票)	小切手	こぎって
시청(市廳)	市役所	しやくしょ
신호(信号)	合図	あいず
	信号	しんごう
실수(失手)	手落ち	ておち
애인(愛人)	恋人	こいびと
약혼(約婚)	婚約	こんやく
여고(女高)	女子高	じょしこう
여직원(女職員)	女子社員	じょししゃいん
연예인(演藝人)	芸能人	げいのうじん
우체국(郵遞局)	郵便局	ゆうびんきょく
우표(郵票)	切手	きって
월급(月給)	給料	きゅうりょう
의사(医師)	医者	いしゃ
	医師	いし
이사(理事)	取締役	とりしまりやく
이자(利子)	利子	りし
	利息	りそく

한자

한자 08 한자어 한일 비교어

인사(人事)	挨拶	あいさつ
인세(印税)	著作権使用料	ちょさくけんしようりょう
일기예보(日氣豫報)	天気予報	てんきよほう
일단(一旦)	一旦 / 一応	いったん / いちおう
일식(日食)	和食	わしょく
임원(任員)	役員	やくいん
자기자신(自己自身)	自分自身	じぶんじしん
자식(子息)	子供	こども
자전거(自転車)	自転車	じてんしゃ
장마	梅雨	ばいう / つゆ
장사	商売	しょうばい
재수생(再修生)	浪人	ろうにん
재작년(再昨年)	一昨年	いっさくねん / おととし
접수(接受)	受付	うけつけ
제목(題目)	見出し	みだし
제일(第一)	一番	いちばん
조상(祖上)	先祖	せんぞ
중국요리(中國料理)	中華料理	ちゅうかりょうり
직원(職員)	社員	しゃいん
직책(職責)	肩書き	かたがき
착각(錯覚)	勘違い	かんちがい
출근(出勤)	出社	しゅっしゃ

출산휴가(出産休暇)	産休	さんきゅう
친구(親旧)	友達	ともだち
친척(親戚)	親類 / 親戚	しんるい / しんせき
태풍(颱風)	台風	たいふう
퇴근(退勤)	退社	たいしゃ
편지지(片紙紙)	便箋	びんせん
편지(便紙)	手紙	てがみ
평생(平生)	生涯	しょうがい
형편(形便)	都合	つごう
학점(学點)	単位	たんい
호화(豪華)	豪奢	ごうしゃ
환전(換銭)	為替	かわせ

11
외래어

외래어 01 일상생활 외래어

※ 대부분 영어발음에 기초하지만, 네델란드에서 건너온 단어는 간혹 영어발음과 다르게 발음하는 것도 있다.

アイスクリーム	아이스크림
アイデア	아이디어
アイロン	다리미
アクセサリー	액세서리
アクセント	액센트
アナウンサー	아나운서
アパート	아파트
アプローチ	어프로치
アマチュア	아마추어
アルカリ	알카리
アルコール	알코올
アルバイト	아르바이트
アルバム	앨범
アンケート	앙케이트
アンコール	앙콜
アンテナ	안테나
イコール	이콜(=)
イメージ	이미지
インタビュー	인터뷰
インターナショナル	인터내셔널

インターネット	인터넷
インテリ	인테리어
インフォメーション	인포메이션
インフレ	인플레(이션)
エアメール	에어메일(항공우편)
エスカレーター	에스컬레이터
エネルギー	에너지
エレガント	엘레강트
エレベーター	엘리베이터
エンジニア	엔지니어
エンジン	엔진
オイル	오일
オフィス	오피스
オリエンテーション	오리엔테이션
オルガン	오르간
オレンジ	오렌지
オートバイ	오토바이
オートマチック	오토매틱
オーバー(する)	오버(하다)
カクテル	칵테일
カット	컷(cut)
カテゴリー	카테고리

외래어 02 일상생활 외래어

カバン	가방
カバー	커버
カメラ	카메라
カレンダー	캘린더
カレー	카레
カロリー	칼로리
カンニング	컨닝
カーテン	커튼
カード	카드
カーブ	커브
カーペット	카펫
ガイド	가이드
ガソリン(スタンド)	가솔린(주유소)
ガム	껌
ガラス	유리
キャビネット	캐비넷
キャリア	캐리어
キャンパス	캠퍼스
キログラム	킬로그램
キロメートル	킬로미터
ギター	기타
ギャップ	갭

クイズ	퀴즈
クラス(メート)	클래스, 학급(급우)
クーラー	에어컨, 쿨러
ケーキ	케이크
ケース	케이스(상자, 경우)
ゲーム	게임
コピー	복사(카피)
コマーシャル	광고(CM)
コミュニケーション	커뮤니케이션
コメント	코멘트
コレクション	콜렉션
コンクール	콩쿠르
コンサート	콘서트
コンタクト(レンズ)	콘택트(렌즈)
コンピューター	컴퓨터
ノートパソコン	노트북
コース	코스
コート	코트(coat,court)
コーナー	코너
コーラス	코러스
サイクル	사이클
サイズ	사이즈

외래어 03 일상생활 외래어

サイレン	사이렌
サラリーマン	샐러리맨
サンダル	샌들
サンドイッチ	샌드위치
サークル	서클
サービス	서비스
サラダ	샐러드
システム	시스템
シナリオ	시나리오
シャワー	샤워
ショック	쇼크
シリーズ	시리즈
シーズン	시즌
ジャズ	재즈
ジャンル	장르
ジャーナリスト	저널리스트
ジュース	주스
ジーパン	진, 청바지
スカート	스커트
スカーフ	스카프
スキャンダル	스캔들
スキー	스키

スケジュール	스케줄
スタイル	스타일
スタジオ	스튜디오
スタンド	스탠드
スタート	스타트
スチュワーデス	스튜어디스
ステレオ	스테레오
ステージ	스테이지, 무대
ストッキング	스타킹
ストライキ・スト	파업
ストレス	스트레스
ストロー	스트로, 빨대
ストーブ	스토브
スピーチ	스피치
スピード	스피드
スプリング	스프링
スプーン	스푼
スペース	스페이스
スポーツ	스포츠
スマート	스마트
スリッパ	슬리퍼
スーツ	슈트, 정장

외래어 04 일상생활 외래어

スーツケース	여행가방
スーパー	슈퍼마켓
スープ	수프
ズボン	바지
センター	센터
セーター	스웨터
セール	세일
ゼロ	제로
ソフト	소프트
ソロ	솔로
ソース	소스
タイトル	타이틀
タイプ	타입
タイマー	타이머
タイミング	타이밍
タイム	타임
タイル	타일
タオル	타올
タクシー	택시
タレント	탤런트
ダイヤル	다이얼
ダウン	다운

ダブル	더블
ダンス	댄스
ダンプ	덤프
チェンジ	체인지
チップ	팁
チャンネル	채널
チーズ	치즈
チーム	팀
テキスト	텍스트
テスト	테스트, 시험
テニス	테니스
テレビ	텔레비전
テント	텐트
テーブル	테이블
テープ	테입
テープレコーダー	테이프레코더
テーマ	테마
デザイン	디자인
デザート	디저트
デッサン	데생
デパート	백화점
デモ	데모

외래어 05 일상생활 외래어

データ	데이터
トイレ	화장실
トラック	트럭
トランプ	트럼프
ドア	문
ドライヤー	드라이어
ドラマ	드라마
ドリル	드릴
ドル	달러
ドレス	드레스
ナイフ	나이프
ナプキン	냅킨
ナンバー	넘버
ニュアンス	뉘앙스
ネクタイ	넥타이
ネックレス	목걸이
ノイローゼ	노이로제
ノック	노크
ノート	노트
ハンカチ	손수건
ハンサム	핸섬
バス	버스

バター	버터
バッテリー	배터리
バランス	밸런스
パターン	패턴
パチンコ	파칭코
パトカー	경찰차
パン	빵
パンツ	팬티(남자속옷)
パーセント	퍼센트
パーティー	파티
ビジネス	비즈니스
ビタミン	비타민
ビル	빌딩
ビール	맥주
ウイルス	바이러스
ピアノ	피아노
ピストル	피스톨, 권총
フィルム	필름
フォーク	포크
フォーム	폼
フロント	프런트
ブザー	부저

외래어 06

일상생활 외래어

ブーム	붐(대성황, 대유행)
プリント	프린트
プレゼント	선물
プログラム	프로그램
プール	풀장
ベッド	침대
ベル	벨
ペン	펜
ページ	페이지
ホテル	호텔
ボタン	버튼
ボーナス	보너스
ボールペン	볼펜
ポケット	포켓
ポーズ	포즈
マイク	마이크
マスコミ	매스컴
マスター	마스터
マッチ	성냥
マラソン	마라톤
マーケット	마켓
ミス	미스(실수)

ミュージック	뮤직
ミルク	밀크
ムード	무드
メーカー	메이커
メートル	미터
モダン	모던
モデル	모델
モニター	모니터
ユニフォーム	유니폼
ユーモア	유머
ライター	라이터
ラジオ	라디오
リズム	리듬
ルール	룰, 규칙
レコード	레코드, 음반
レジャー	레저
レストラン	레스토랑
レンジ	전자렌지
レンズ	렌즈
ロビー	로비
ロマンチック	로맨틱
ワイシャツ	와이셔츠

외래어 07 인터넷 · 컴퓨터 외래어

アクセス	억세스
アナログ	아날로그
イベント	이벤트
インタビュー	인터뷰
インターネット	인터넷
イーメール	이메일
ウイルス	바이러스
ウェブ	웹(web)
エンターテイメント	엔터테인먼트(エンタメ)
オンラインゲーム	온라인게임
ガイド	가이드
キーワード	키워드
クリック	클릭
グループ	그룹
コンソーシアム	컨소시엄
コンテンツ	콘텐츠
コンピューター	컴퓨터
コーディネーター	코디네이터
サイト	사이트
サーチ	서치(검색)
サービス	서비스
ショッピング	쇼핑

スタッフ	스탭
スペース	스페이스
セキュリティ	세큐리티(보안)
ソース	소스
ダウンロード	다운로드
チャンネル	채널
テクノ	테크노
テレビ	텔레비전
デジカメ	디지털 카메라
データベース	데이터 베이스
トップ	톱
トピック	토픽
ニュース	뉴스
ネット	네트
ノウハウ	노하우
パスワード	패스워드
パソコン	PC
ビジネス	비즈니스
ファイル	파일
フォーム	폼
フォルダー	폴더
ブラウザ	브라우저

외래어 08 인터넷 · 컴퓨터 외래어

プライバシー	프라이버시
プリント	프린트
プレゼント	프레젠트,
プログラム	프로그램
ヘルプ	헬프(도움말)
ページ	페이지
ホーム	홈
ポータル(portal)	포털
マニュアル	매뉴얼
マルチメディア	멀티미디어
メガヘルツ	메가헤르츠
メディア	미디어
メッセージ	메시지
メニュー	메뉴
メンバー	멤버
メーカー	메이커
モニター	모니터
モバイル	모바일
モード	모드
ユーザー	유저
ライフスタイル	라이프스타일
リアル	리얼

リスト	리스트
リンク	링크
レポート	리포트
ログイン	로그인
ロゴ	로고

외래어 09 방송 · 음악 · 영화 외래어

アクション	액션
アダルト	어덜트(성인용)
アナウンサー	아나운서
アニメ	애니메이션
アレンジ	어레인지, 편곡, 편집
アンケート	앙케이트
アート	아트
イベント	이벤트
イヤー	이어(year)
エスエフ	에스에프, SF
エピソード	에피소드
エピローグ	에필로그, 결말
オムニバス	옴니버스
オリジナル	오리지날
オンエア	온에어
オンライン	온라인
オーケストラ	오케스트라
オープニング	오프닝
カミングスーン	커밍순
カムバック	컴백, 재기
カンヌ	칸느
キッズ	키즈(kids)

キャスター	캐스터
キャスト	캐스트
キャラクター	캐릭터
クラシック	클래식
クラブ	클럽
グループ	그룹
コメディアン	코미디언(개그맨)
コメディー	코미디
コメント	코멘트, 논평
コンサート	콘서트
シリーズ	시리즈
シーン	신(scene), 장면
ジャパン	재팬(japan)
ジャンル	장르
ジレンマ	딜레마
スキャンダル	스캔들
スクリーン	스크린
スタジオ	스튜디오
スタッフ	스텝
ステージ	스테이지, 무대
ストーリー	스토리
スペシャル	스페셜

외래어 10 방송·음악·영화 외래어

スランプ	슬럼프
スリラー	스릴러
スリル	스릴
タレント	탤런트
チャンネル	채널
テーマ	테마
デビュー	데뷰(첫등장)
トピックス	토픽
ドラマ	드라마
ノウハウ	노하우
ノミネート	노미네이트(후보로 지명되다)
ハリウッド	헐리우드
バックナンバー	백넘버(드라마 지난회)
バラエティー	버라이어티
ヒット	히트
ヒューマンコメディー	휴먼 코al디
ヒロイン	히로인, 여자주인공
ヘロイン	헤로인(마약의 하나)
ヒーロー	히어로, 남자주인공
ビジュアル	비주얼
ビデオ	비디오
ファン	팬

ブロマイド	브로마이드
ブーム	붐
プロデュース	프로듀스
ポピュラー	퍼퓰러(대중적인)
ミッドナイト	미드나이트
ミュージカル	뮤지컬
メインキャスター	메인캐스트
メッセージ	메시지
メドレー	메들리
メロドラマ	멜로드라마
モデル	모델
ユニバーサル	유니버설
ライブ	라이브(live)
ラジオ	라디오
ラブコール	러브콜
ランク	랭크
リクエスト	신청곡
レギュラー	레귤러(주로 '정규방송'이란 뜻으로)
ロック	록(로큰롤의 줄말)
ロングラン	롱런(영화나 연극의 장기흥행)
ロードショー	로드쇼(설명회)

외래어 11 스포츠 외래어

Jリーグ	제이리그(Japan League)
アイスホッケー	아이스하키
アウト	아웃
アシスト	어시스트
アジアカップ	아시안컵
アドバイス	어드바이스
アマチュア	아마추어
アメリカンフットボール	아메리칸풋볼, 미식축구
イニング	이닝 inning ~회[야구경기]
ウォーミングアップ	워밍업
エントリー	엔트리
オファー	오퍼(주문, 요청)
オリンピック	올림픽
キャンプ	캠프
キャンペーン	캠페인
ギャラ	개런티(출연료)
グローバル	글로벌(global)
コマーシャル	CM(광고)
ゴール	골
ゴールライン	골 라인
サッカー	축구
シーズン	시즌(season)

ジャイアンツ	자이안츠(일본야구팀 이름)
ジョギング	조깅
スタイル	스타일
スタジアム	스타디움
スタート	스타트
スピードスケート	스피드스케이트
スポンサー	스폰서
スポーツ	스포츠
スポーツマン	스포츠맨(sportsman)
ソフトボール	소프트볼
ソロ	솔로
チャンス	찬스(기회)
チーム	팀
テクニック	테크닉
テーマ	테마
トレード	트레이드
トレードマーク	트레이드마크
トレーナー	트레이너
トレーニング	트레이닝
トロフィー	트로피
ドーム	돔(dome 둥근 천정)
ナイターゲーム	야간경기 ↔ デーゲーム

스포츠 외래어

ノックアウト	녹아웃, KO
ハンドボール	핸드볼
バイオリズム	바이오리듬
バイク	오토바이(소형)
バスケットボール	농구
バトン	바통
バドミントン	배드민턴
パラリンピック (Paralympics)	패럴림픽(국제신체장애자경기대회)
パワー	파워
ピッチャー	피처(≒投手とうしゅ)
ピッチング	피칭(≒投球とうきゅう)
プレー	플레이
プレーヤー	플레이어(player)
プロ	프로
プロレス	프로레슬링
ベンチ	벤치
ベースボール	야구(≒野球やきゅう)
ホームラン	홈런
ボランティア	볼런티어(자원봉사자)
ボーダーレス	보더레스(borderless)
ボーナス	보너스

ボール	볼, 공
マウンド	(야구에서)마운드
マスコミ	매스컴
マネージャー	매니저
マラソン	마라톤
マーク	마크
マーケット	마켓
メダリスト	메달리스트
メッセージ	메시지
メリット	메리트(merit)
メンバー	멤버
メートル	미터
ユニホーム	유니폼
ライバル	라이벌
ラッシュ	러쉬
リーグ	리그
ルール	룰
ローテーション	로테이션
ワールドカップ	월드컵

외래어 13 : 경제 · 사회 외래어

アウトソーシング	아웃소싱
インフレ	인플레
= インフレーション	인플레이션
イベント	이벤트
エアメール	에어메일
キャッシュ	캐쉬
クレーム	클레임
省(しょう)エネ	에너지절약
シンポジウム	심포지움
ジャーナル	정기 간행물
スワッピング	스와핑(swapping)
ストックオプション	스톡옵션
ダメージ	데미지
テクノロジー	과학기술
デフレ(デフレーション)	디플레이션
デモ	데모
テロ	테러
トレーニング	트레이닝
ネゴ	네고(가격을 깎는 것)
バレンタイン	발렌타인
ビジネス	비즈니스
プライス	프라이스(가격)

プレミアム	프리미엄
マーケット	마켓, 시장
マーケティング	마켓팅
マザコン	마더콤플렉스 또는 그런 사람
メーカー	메이커, 제조회사
リコール	리콜

외래어 14 국가 · 도시명 외래어

アジア	아시아
アフリカ	아프리카
アメリカ(米国)	아메리카, 미국
アラブ	아랍
イギリス	영국
イスラエル	이스라엘
イタリア	이탈리아
イラン	이란
インド	인도
インドネシア	인도네시아
エジプト	이집트
オランダ	네덜란드
オーストラリア	호주
カイロ	카이로
キューバ	쿠바
ギリシャ	그리스
シドニー	시드니
シンガポール	싱가포르
スイス	스위스
スペイン	스페인
ソウル	서울
デンマーク	덴마크

トルコ	터키
ドイツ	독일
ニューヨーク	뉴욕
ネパール	네팔
ハンガリー	헝가리
パラグアイ	파라과이
パリ	파리
フランス	프랑스
ブラジル	브라질
ベルギー	벨기에
ベルリン	베를린
ペキン(北京)	북경
ボリビア	볼리비아
ポルトガル	포르투갈
ポーランド	폴란드
メキシコ	멕시코
ユーゴスラビア	유고슬라비아
ヨーロッパ	유럽(欧州おうしゅう)
ロシア	러시아
ロンドン	런던
ローマ	로마
ワシントン	워싱턴

인명 외래어

イエス	예수
エジソン	에디슨
ガンジー	간디
トルストイ	톨스토이
ナイチンゲール	나이팅게일
ノストラダムス	노스트라다무스
ハムレット	햄릿
ヒトラー	히틀러
ピカソ	피카소
ビル ゲイツ	빌게이츠
ブッシュ	부시
ヘミングウェー	훼밍웨이
ヘンデル	헨델
ベルディ	베르디
ベートーベン	베토벤
マッカーサー	맥아더
マルクス	마르크스
ミケランジェロ	미켈란젤로
メンデルスゾーン	멘델스존
モーゼ	모세
モーツアルト	모차르트
モーパッサン	모파상

リンカーン	링컨
レオナルドダビンチ	레오나르도다빈치
ワグナー	바그너

외래어 16 우리말과 다르게 쓰는 외래어

구조조정	リストラ
남미	南(みなみ)アメリカ
목걸이	ネックレス
미국(美国)	アメリカ(米国 : べいこく)
미팅	コンパ
복사	コピー
복사기	コピー機(き)
북미	北(きた)アメリカ
성희롱	セクハラ
올림픽	五輪(ごりん)
운동화	スニーカー
월드컵 대회	W杯大会(Wはいたいかい)
유행성감기(독감)	インフルエンザ
자원봉사자	ボランティア
즉석요리식품	レトルト食品(しょくひん)
축구	サッカー
침대	ベッド
파업	スト(ストライキ)
현금	キャッシュ
핸드폰	携帯(電話) けいたい(でんわ)
화장품	コスメ
화장실	トイレ

インフルエンザだ！

외래어 **확인문제**

※ 밑줄 친 곳에 들어갈 가장 적당한 말을 고르시오.

1. ＿＿＿＿＿、センターはどこですか。

① イメージ　② インテリ
③ インフォメーション　④ インフレ

2. 私の趣味はアクセサリ ＿＿＿＿＿ です。

① コスメ　② ケース
③ コース　④ コレクション

3. 目が悪いので ＿＿＿＿＿ をしてます。

① サービス　② コース
③ コンタクト　④ ストライキ

4. 仕事ばかりしているから ＿＿＿＿＿がたまっている。

① ストッキング　② ストロー
③ ストレス　④ スプリング

5. デパートの ＿＿＿＿＿で車が込んでいる。

① セーター　② セール
③ セル　④ ソル

※ カタカナ로 고치시오. (글자수)

6. 죠깅(5글자) ＿＿＿＿＿＿＿＿＿＿

7. 오토매틱(7글자) ＿＿＿＿＿＿＿＿＿＿

8. 갭(4글자) ____________________

9. 청바지(4글자) ____________________

10. 복사(3글자) ____________________

11. 커피(4글자) ____________________

12. 미터(4글자) ____________________

13. 캐릭터(6글자) ____________________

14. 네델란드(4글자) ____________________

15. 호주(7글자) ____________________

16. 그리스(4글자) ____________________

17. 벨기에(4글자) ____________________

18. 로스엔젤레스(6글자) ____________________

19. 예수(3글자) ____________________

20. 베토벤(6글자) ____________________

정답 1. ③ 2. ④ 3. ③ 4. ③ 5. ②
6. ジョギング 7. オートマチック 8. ギャップ
9. ジーパン/ジーンズ 10. コピー 11. コーヒー
12. メートル 13. キャラクター 14. オランダ
15. オーストラリア 16. ギリシャ 17. ベルギー
18. ロサンゼルス 19. イエス 20. ベートーベン

12
부록 (총550단어)

부록 4·5급 필수 암기 단어

기본숫자

□一	いち	일
□二	に	이
□三	さん	삼
□四	よん · よ · し	사
□五	ご	오
□六	ろく	육
□七	なな · しち	칠
□八	はち	팔
□九	きゅう · く	구
□十	じゅう	십
□百	ひゃく	백
□千	せん	천
□万	まん	만
□百万	ひゃくまん	백만
□二十六	にじゅうろく	26
□百七十	ひゃくななじゅう	170
□三十四	さんじゅうよん	34
□お金	おかね	돈
□円	えん	엔

시간

□ 年	ねん	년
□ 月	げつ · つき	월
□ 日	ひ · にち	일
□ 時	じ	시
□ 間	かん · あいだ	간
□ 分	ふん · ぷん	분
□ 半	はん	반
□ 今月	こんげつ	이번 달
□ 朝	あさ	아침
□ 夜	よる	밤 · 저녁
□ 午前	ごぜん	오전
□ 午後	ごご	오후
□ 毎日	まいにち	매일
□ 毎月	まいげつ	매월
□ 今年	ことし	올해
□ 昨年	さくねん	작년
□ 来年	らいねん	내년
□ 今月	こんげつ	금월
□ 今週	こんしゅう	이번 주
□ 時間	じかん	시간
□ 一日	いちにち · ついたち	1일
□ 四時	よじ	4시
□ 四月	しがつ	4월

부록 4·5급 필수 암기 단어

□ 二千四年	にせんよねん	2004년
□ 四キロ	よんキロ	4km
□ 二十四時間	にじゅうよじかん	24시간
□ 九月九日九時	くがつここのかくじ	9월 9일 9시
□ 朝	あさ	아침
□ 昼	ひる	낮
□ 夜	よる	밤
□ 夕方	ゆうがた	저녁
□ 毎朝	まいあさ	매일 아침
□ 今朝	けさ	오늘 아침
□ 去年	きょねん	작년
□ 来週	らいしゅう	다음 주
□ 先週	せんしゅう	지난 주
□ 一週間	いっしゅうかん	일주일간
□ 一か月	いっかげつ	한 달
□ 初(はじ)め		처음

요일

□ 何よう日	なんようび	무슨 요일
□ 月よう日	げつようび	월요일
□ 火よう日	かようび	화요일
□ 水よう日	すいようび	수요일
□ 木よう日	もくようび	목요일
□ 金よう日	きんようび	금요일

□ 土よう日	どようび	토요일
□ 日よう日	にちようび	일요일

학교

□ 学校	がっこう	학교
□ 大学	だいがく	대학
□ 先生	せんせい	선생님
□ 学生	がくせい	대학생

위치 · 방향

□ 上	うえ	위
□ 中	なか	가운데 · 안
□ 下	した	아래
□ 外	そと	바깥
□ 前	まえ	앞
□ 後ろ	うしろ	뒤
□ 右	みぎ	오른쪽
□ 左	ひだり	왼쪽
□ 東	ひがし	동
□ 西	にし	서
□ 南	みなみ	남
□ 北	きた	북
□ 隣	となり	이웃
□ 間	あいだ	사이

□ 横	よこ	옆
□ 近く	ちかく	가까운 곳
□ 遠く	とおく	먼 곳
□ 近所	きんじょ	근처

계절 · 자연

□ 春	はる	봄
□ 夏	なつ	여름
□ 秋	あき	가을
□ 冬	ふゆ	겨울
□ 山	やま	산
□ 川	かわ	강
□ 海	うみ	바다
□ 木	き	나무
□ 空	そら	하늘
□ 天気	てんき	날씨
□ 雨	あめ	비
□ 雲	くも	구름
□ 風	かぜ	바람

그외 기출한자

□ 水	みず	물
□ 本	ほん	책
□ 国	くに	나라, 고향

□肉	にく	고기
□駅	えき	역
□車	くるま	차
□電気	でんき	전기(불)
□電車	でんしゃ	전차
□花	はな	꽃
□道	みち	길
□電話	でんわ	전화
□新聞	しんぶん	신문
□手紙	てがみ	편지
□自動車	じどうしゃ	자동차
□日本	にほん	일본
□何本	なんぼん	몇 자루
□外国	がいこく	외국
□名前	なまえ	이름
□半分	はんぶん	절반
□銀行	ぎんこう	은행
□後で	あとで	나중에
□先に	さきに	먼저
□南口	みなみぐち	남쪽 출구
□出口	でぐち	출구
□夏休み	なつやすみ	여름방학
□開く	あく	열다
□動く	うごく	움직이다

□ 乾く	かわく	마르다
□ 騒ぐ	さわぐ	떠들다
□ 選ぶ	えらぶ	고르다
□ 叱る	しかる	꾸짖다
□ 似る	にる	닮다
□ 畳	たたみ	다다미
□ 妻	つま	아내
□ 隣	となり	이웃
□ 田舎	いなか	시골
□ 怪我	けが	상처
□ 景色	けしき	경치
□ 御馳走	ごちそう	접대
□ 指輪	ゆびわ	반지

가족 · 사람

□家族	かぞく	가족
□主人	しゅじん	남편
□兄	あに	형, 오빠
□お兄さん	おにいさん	형, 오빠
□姉	あね	언니, 누나
□お姉さん	おねえさん	언니, 누나
□妹	いもうと	여동생
□弟	おとうと	남동생
□母	はは	어머니
□お母さん	おかあさん	어머니
□父	ちち	아버지
□お父さん	おとうさん	아버지
□祖母	そぼ	할머니
□祖父	そふ	할아버지
□男性	だんせい	남성
□女性	じょせい	여성
□男の子	おとこのこ	남자 아이
□女の子	おんなのこ	여자 아이
□医者	いしゃ	의사
□写真家	しゃしんか	사진가
□店員	てんいん	점원
□自分	じぶん	자신, 자기

부록 4·5급 필수 암기 단어

□ 留学生	りゅうがくせい	유학생
□ 先生	せんせい	선생님

신체

□ 足	あし	발
□ 体	からだ	몸
□ 目	め	눈
□ 鼻	はな	코
□ 耳	みみ	귀
□ 背中	せなか	등

자연

□ 台風	たいふう	태풍
□ 空気	くうき	공기
□ 雨	あめ	비
□ 雲	くも	구름
□ 風	かぜ	바람
□ 空	そら	하늘
□ 海	うみ	바다
□ 天気	てんき	날씨
□ 鳥	とり	새
□ 魚	さかな	생선, 물고기
□ 花	はな	꽃
□ 犬	いぬ	개

□牛	うし	소
□猫	ねこ	고양이

건물, 시설

□病院	びょういん	병원
□食堂	しょくどう	식당
□銀行	ぎんこう	은행
□郵便局	ゆうびんきょく	우체국
□工場	こうじょう	공장
□町	まち	마을
□公園	こうえん	공원
□大使館	たいしかん	대사관
□図書館	としょかん	도서관
□住所	じゅうしょ	주소
□店	みせ	가게
□屋上	おくじょう	옥상
□入口	いりぐち	입구
□通り	とおり	길, ~로(路)
□出口	でぐち	출구
□売店	ばいてん	매점
□広場	ひろば	광장
□席	せき	자리, 좌석
□山道	やまみち	산길
□肉屋	にくや	정육점

부록 4·5급 필수 암기 단어

□ 映画館	えいがかん	영화관, 극장
□ 喫茶店	きっさてん	찻집, 커피숍
□ 家	うち/いえ	집
□ 道	みち	길
□ 部屋	へや	방
□ 応接間	おうせつま	응접실
□ 台所	だいどころ	부엌
□ 地図	ちず	지도
□ アパート		아파트
□ ケーキ屋	ケーキや	케익가게
□ スーパー		슈퍼마켓
□ ビル		빌딩

학교, 사회

□ 教室	きょうしつ	교실
□ 質問	しつもん	질문
□ 英語	えいご	영어
□ 校長	こうちょう	교장
□ 医学	いがく	의학
□ 出席	しゅっせき	출석
□ 発音	はつおん	발음
□ 工業	こうぎょう	공업
□ 会話	かいわ	회화
□ 文	ぶん	문

□作文	さくぶん	작문
□役	やく	역
□辞書	じしょ	사전
□仕事	しごと	일
□会社	かいしゃ	회사
□社長	しゃちょう	사장

음식

□料理	りょうり	요리
□食事	しょくじ	식사
□野菜	やさい	야채
□食料品	しょくりょうひん	식료품
□味	あじ	맛
□米	こめ	쌀
□にんじん		당근
□トマト		토마토
□キャベツ		양배추
□とり肉	とりにく	닭고기

교통, 생활

□自転車	じてんしゃ	자전거
□地下鉄	ちかてつ	지하철
□急行	きゅうこう	급행
□駅	えき	역

□ 荷物	にもつ	짐
□ バス		버스
□ 電車	でんしゃ	전철
□ 電話代	でんわだい	전화요금

취미 • 문화

□ 歌	うた	노래
□ 映画	えいが	영화
□ 音楽	おんがく	음악
□ 見物	けんぶつ	구경
□ 写真	しゃしん	사진
□ お正月	おしょうがつ	설
□ 着物	きもの	기모노
□ 切手	きって	우표

추상명사

□ 計画	けいかく	계획
□ 意見	いけん	의견
□ 研究	けんきゅう	연구
□ 意味	いみ	의미
□ 用事	ようじ	볼일, 용무
□ 予定	よてい	예정
□ 時代	じだい	시대, 시절
□ 気分	きぶん	기분

□運転	うんてん	운전
□運動	うんどう	운동
□以上	いじょう	이상
□以内	いない	이내
□以外	いがい	이외
□世話	せわ	보살핌

그외

□荷物	にもつ	짐
□服	ふく	옷
□色	いろ	색
□茶色	ちゃいろ	갈색
□品物	しなもの	물건
□時計	とけい	시계

형용사

□大きい	おおきい	크다
□小さい	ちいさい	작다
□悪い	わるい	나쁘다
□いい(よい)		좋다
□多い	おおい	많다
□少ない	すくない	적다
□安い	やすい	싸다
□高い	たかい	비싸다, 높다

부록 4·5급 필수 암기 단어

□ 白い	しろい	희다
□ 青い	あおい	파랗다
□ 赤い	あかい	빨갛다
□ 明るい	あかるい	밝다
□ 暗い	くらい	어둡다
□ 新しい	あたらしい	새롭다
□ 古い	ふるい	오래되다, 낡다
□ 近い	ちかい	가깝다
□ 遠い	とおい	멀다
□ 重い	おもい	무겁다
□ 軽い	かるい	가볍다
□ 広い	ひろい	넓다
□ 狭い	せまい	좁다
□ 長い	ながい	길다
□ 短い	みじかい	짧다
□ 親切	しんせつ	친절함
□ 十分	じゅうぶん	충분함
□ 大切	たいせつ	소중함
□ 大事	だいじ	중요함
□ 特別	とくべつ	특별함
□ 同じ	おなじ	같은
□ 不便	ふべん	불편함
□ 便利	べんり	편리함
□ 大変	たいへん	큰일임, 힘듦

□ 簡単	かんたん	간단함(쉬움)
□ 有名	ゆうめい	유명(함)
□ 上手	じょうず	능숙함
□ 好き	すき	좋아함
□ 嫌い	きらい	싫음

동사

□ 合う	あう	맞다
□ 言う	いう	말하다
□ 行う	おこなう	행하다
□ 通う	かよう	다니다
□ 使う	つかう	쓰다
□ 習う	ならう	배우다
□ 空く	あく	비다
□ 開く	あく	열리다
□ 歩く	あるく	닫다
□ 行く	いく	가다
□ 動く	うごく	움직이다
□ 書く	かく	쓰다
□ 乾く	かわく	마르다
□ 聞く	きく	듣다/ 묻다
□ 着く	つく	도착하다
□ 働く	はたらく	일하다
□ 焼く	やく	굽다

부록 4·5급 필수 암기 단어

□ 急ぐ	いそぐ	서두르다
□ 泳ぐ	およぐ	헤엄치다
□ 騒ぐ	さわぐ	떠들다
□ 思い出す	おもいだす	생각해내다
□ 写す	うつす	베끼다
□ 貸す	かす	빌려주다
□ 返す	かえす	돌려주다
□ 話す	はなす	말하다
□ 持つ	もつ	가지다
□ 待つ	まつ	기다리다
□ 死ぬ	しぬ	죽다
□ 選ぶ	えらぶ	고르다
□ 運ぶ	はこぶ	옮기다
□ 噛む	かむ	씹다, 깨물다
□ 住む	すむ	살다
□ 飲む	のむ	마시다
□ 休む	やすむ	쉬다
□ 読む	よむ	읽다
□ 知る	しる	알다
□ 売る	うる	팔다
□ 送る	おくる	보내다
□ 終わる	おわる	끝나다
□ 帰る	かえる	돌아가다
□ 集まる	あつまる	모이다

□ 作る	つくる	만들다
□ 止まる	とまる	멈추다
□ 走る	はしる	달리다
□ 始まる	はじまる	시작하다
□ 減る	へる	줄다
□ 起きる	おきる	일어나다
□ 借りる	かりる	빌리다
□ 着る	きる	입다
□ 見る	みる	보다
□ 上げる	あげる	드리다
□ 集める	あつめる	모으다
□ 教える	おしえる	가르치다
□ 生まれる	うまれる	태어나다
□ 考える	かんがえる	생각하다
□ 答える	こたえる	답하다
□ 閉める	しめる	닫다
□ 建てる	たてる	세우다
□ 食べる	たべる	먹다
□ 出る	でる	나가다
□ 増える	ふえる	증가하다
□ 別れる	わかれる	헤어지다
□ 来る	くる	오다
□ する		하다
□ 出発する	しゅっぱつする	출발하다

부록 2·3급 틀리기 쉬운 한자

ㅁ가	稼動(가동)	かどう
	家具(가구)	かぐ
ㅁ각	深刻(심각)	しんこく
	➲ 該当(해당)	がいとう
	➲ 咳(기침)	せき
ㅁ간	干渉(간섭)	かんしょう
	月刊(월간)	げっかん
	肝臓(간장)	かんぞう
ㅁ간	人間(인간)	にんげん
	簡単(간단)	かんたん
	➲ 問題(문제)	もんだい
	➲ 関係(관계)	かんけい
ㅁ감	感謝(감사)	かんしゃ
	減少(감소)	げんしょう
	➲ 疑惑(의혹)	ぎわく
	➲ 滅亡(멸망)	めつぼう
	➲ 越える(넘다)	こえる
ㅁ개	改札口(개찰구)	かいさつぐち
	開幕(개막)	かいまく
ㅁ검	検査(검사)	けんさ
	➲ 経験(경험)	けいけん
	➲ 保険(보험)	ほけん
	➲ 危険(위험)	きけん

ㅁ경	経営(경영)	けいえい
	環境(환경)	かんきょう
	◐ 軽い(가볍다)	かるい
ㅁ계	関係(관계)	かんけい
	◐ 糸(실)	いと
ㅁ고	苦痛(고통)	くつう
	固定(고정)	こてい
	故障(고장)	こしょう
	◐ 個人(개인)	こじん
	報告(보고)	ほうこく
ㅁ곤	困る(곤란하다)	*こまる
	◐ 団体(단체)	だんたい
	◐ 個人(개인)	こじん
	◐ 原因(원인)	げんいん
ㅁ공	空気(공기)	くうき
	公共(공공)	こうきょう
	提供(제공)	ていきょう
	◐ 控える(삼가다)	ひかえる
ㅁ과	課長(과장)	かちょう
	学科(학과)	がっか
	結果(결과)	けっか
	過程(과정)	かてい

부록 2·3급 틀리기 쉬운 한자

□ 광	広告(광고)	こうこく
	光栄(광영)	こうえい
□ 교	郊外(교외)	こうがい
	教会(교회)	きょうかい
	交際(교제)	こうさい
□ 구	救急車(구급차)	きゅうきゅうしゃ
	地球(지구)	ちきゅう
	請求書(청구서)	せいきゅうしょ
□ 구	構造(구조)	こうぞう
	購買(구매)	こうばい
	➲ 講義(강의)	こうぎ
□ 규	規制(규제)	きせい
□ 급	普及(보급)	ふきゅう
	特級(특급)	とっきゅう
	供給(공급)	きょうきゅう
	➲ 呼吸(호흡)	こきゅう
	➲ 取り扱い(취급)	とりあつかい
□ 기	技術(기술)	ぎじゅつ
	記事(기사)	きじ
	自己(자기)	じこ
□ 기	寄附金(기부금)	きふきん
	➲ 椅子(의자)	いす
□ 냉(랭)	冷凍(냉동)	れいとう

	⮕ 涼しい(서늘하다)	すずしい
□ 논(론)	論文(논문)	ろんぶん
	⮕ 倫理(윤리)	りんり
	⮕ 五輪(올림픽)	ごりん
□ 단	判断(판단)	はんだん
	簡単(간단)	かんたん
	⮕ 継続(계속)	けいぞく
	⮕ 巣(보금자리)	す
□ 도	倒産(도산)	とうさん
	挑戦(도전)	ちょうせん
	到着(도착)	とうちゃく
□ 동	共同(공동)	きょうどう
	銅像(동상)	どうぞう
□ 동	児童(아동)	じどう
	⮕ 分量(분량)	ぶんりょう
	⮕ 瞳(눈동자)	ひとみ
	⮕ 憧れ(동경)	あこがれ
□ 령	命令(명령)	めいれい
	年齢(연령)	ねんれい
□ 막	砂漠(사막)	さばく
	⮕ 模範(모범)	もはん
□ 만	我慢(참음, 견딤)	がまん
	⮕ 鰻(뱀장어)	うなぎ

부록 2·3급 틀리기 쉬운 한자

□ 망	望遠鏡(망원경)	ぼうえんきょう
	死亡者(사망자)	しぼうしゃ
	多忙(다망)	たぼう
	忘却(망각)	ぼうきゃく
□ 매	販売(판매)	はんばい
	売買(매매)	ばいばい
□ 맹	盲目的(맹목적)	もうもくてき
□ 모	募集(모집)	ぼしゅう
	➲ 開幕(개막)	かいまく
□ 민	敏感(민감)	びんかん
	➲ 後悔(후회)	こうかい
□ 박	宿泊(숙박)	しゅくはく
	拍子(박자)	ひょうし
	➲ 伯父(백부)	おじ
□ 반	反応(반응)	はんのう
□ 방	放送(방송)	ほうそう
	訪問(방문)	ほうもん
	防止(방지)	ぼうし
	妨害(방해)	ぼうがい
□ 배	配偶者(배우자)	はいぐうしゃ
	配布(배포)	はいふ
	俳優(배우)	はいゆう
	排除(배제)	はいじょ

ㅁ보	補充(보충)	ほじゅう
	◐ 逮捕(체포)	たいほ
ㅁ보	普及(보급)	ふきゅう
	保護(보호)	ほご
ㅁ분	粉末(분말)	ふんまつ
	分析(분석)	ぶんせき
	紛争(분쟁)	ふんそう
ㅁ복	複製(복제)	ふくせい
	複雑(복잡)	ふくざつ
	服装(복장)	ふくそう
	◐ 復活(부활)	ふっかつ
	◐ お腹(배)	おなか
ㅁ비	非難(비난)	ひなん
	◐ 排除(배제)	はいじょ
	◐ 是非(꼭)	ぜひ
ㅁ사	捨てる(버리다)	すてる
	◐ 斜め(경사)	ななめ
	◐ 田舎(시골)	いなか
ㅁ사	社会(사회)	しゃかい
	司会(사회)	しかい
	弁護士(변호사)	べんごし
ㅁ삭	削除(삭제)	さくじょ
	消費(소비)	しょうひ

부록 2·3급 틀리기 쉬운 한자

ㅁ 상	傷(상처)	きず
	弁償(변상)	べんしょう
ㅁ 상	商品(상품)	しょうひん
	常識(상식)	じょうしき
ㅁ 상	詳細(상세)	しょうさい
	➲ お祝い(축하)	おいわい
	➲ 群(무리)	むれ
	➲ 福祉(복지)	ふくし
ㅁ 생	生涯(생애)	しょうがい
	誕生日(생일)	たんじょうび
	生年月日(생년월일)	せいねんがっぴ
	犠牲(희생)	ぎせい
ㅁ 생	省略(생략)	しょうりゃく
	➲ 反省(반성)	はんせい
ㅁ 서	一緒に(같이)	いっしょに
	警察署(경찰서)	けいさつしょ
	➲ 諸君(제군)	しょくん
ㅁ 성	性格(성격)	せいかく
	姓名(성명)	せいめい
ㅁ 소	消費者(소비자)	しょうひしゃ
	➲ 削除(삭제)	さくじょ
ㅁ 소	紹介(소개)	しょうかい
	沼(늪)	ぬま

	◐ 招待(초대)	しょうたい
ㅁ수	授業(수업)	じゅぎょう
	手術(수술)	しゅじゅつ
	輸出(수출)	ゆしゅつ
	樹木(수목)	じゅもく
ㅁ숙	宿泊(숙박)	しゅくはく
	◐ 縮小(축소)	しゅくしょう
ㅁ순	単純(단순)	たんじゅん
	◐ 鈍感(둔감)	どんかん
	順序(순서)	じゅんじょ
ㅁ신	申告(신고)	しんこく
	紳士服(신사복)	しんしふく
	精神(정신)	せいしん
ㅁ안	案外(의외)	あんがい
	不安(불안)	ふあん
ㅁ양	西洋(서양)	せいよう
	模様(모양)	もよう
	多様(다양)	たよう
ㅁ양	太陽(태양)	たいよう
	掲揚(게양)	けいよう
	譲歩(양보)	じょうほ

틀리기 쉬운 한자

ㅁ액	液体(액체)	えきたい
	金額(금액)	きんがく
	➲ 項目(항목)	こうもく
ㅁ연	延期(연기)	えんき
	➲ 家庭(가정)	かてい
	研究(연구)	けんきゅう
ㅁ영	水泳(수영)	すいえい
	永久(영구)	えいきゅう
	➲ 氷(얼음)	こおり
ㅁ영	経営(경영)	けいえい
	光栄(영광)	こうえい
ㅁ예	予想(예상)	よそう
	預金(예금)	よきん
	➲ 序列(서열)	じょれつ
ㅁ우	女優(여우, 여배우)	じょゆう
	偶然(우연)	ぐうぜん
ㅁ유	余裕(여유)	よゆう
	幼稚園(유치원)	ようちえん
	➲ 風俗(풍속)	ふうぞく
	➲ 浴槽(욕조)	よくそう
ㅁ유	維持(유지)	いじ
	唯一(유일)	ゆいいつ
	➲ 推進(추진)	すいしん

ㅁ유	遺産(유산)	いさん
	➲ 貴族(귀족)	きぞく
	➲ 派遣(파견)	はけん
ㅁ원	原理(원리)	げんり
	原則(원칙)	げんそく
	源泉(원천)	げんせん
	起源(기원)	きげん
	紀元(기원)	きげん
ㅁ의	会議(회의)	かいぎ
	疑問(의문)	ぎもん
ㅁ은	隠居(은거)	いんきょ
	➲ 暖かい(따뜻하다)	あたたかい
	➲ 緩慢(완만)	かんまん
ㅁ인	原因(원인)	げんいん
	印鑑(인감)	いんかん
ㅁ작	作物(농작물)	さくもつ
	昨年(작년)	さくねん
ㅁ잔	残念(유감)	ざんねん
	➲ 浅い(얕다)	あさい
ㅁ장	長期(장기)	ちょうき
	胃腸(위장)	いちょう
	市場(시장)	しじょう, いちば

부록 2·3급 틀리기 쉬운 한자

ㅁ장	障害(장해,장애)	しょうがい
	奨学金(장학금)	しょうがくきん
	将来(장래)	しょうらい
	出張(출장)	しゅっちょう
ㅁ저	最低(최저)	さいてい
	抵抗(저항)	ていこう
	徹底(철저)	てってい
ㅁ적	面積(면적)	めんせき
	功績(공적)	こうせき
	成績(성적)	せいせき
ㅁ적	適当(적당)	てきとう
	指摘(지적)	してき
	水滴(수적)	すいてき
ㅁ정	精密(정밀)	せいみつ
	精神(정신)	せいしん
	冷静(냉정)	れいせい
	➲ 申請(신청)	しんせい
ㅁ정	庭園(정원)	ていえん
	法廷(법정)	ほうてい
ㅁ정	訂正(정정)	ていせい
	正直(정직)	しょうじき
ㅁ제	制度(제도)	せいど
	製造(제조)	せいぞう

	製品(제품)	せいひん
	提供(제공)	ていきょう
ㅁ 제	国際(국제)	こくさい
	祝祭日(축제일)	しゅくさいじつ
	➲ 摩擦(마찰)	まさつ
	➲ 警察(경찰)	けいさつ
ㅁ 제	削除(삭제)	さくじょ
	➲ 徐徐に(서서히)	じょじょに
ㅁ 조	組織(조직)	そしき
	組合(조합)	くみあい
	乾燥(건조)	かんそう
	操作(조작)	そうさ
ㅁ 지	持ち主(소유자)	もちぬし
	➲ 特に(특히)	とくに
	➲ 枝(가지)	えだ
ㅁ 지	趣旨(취지)	しゅし
	雑誌(잡지)	ざっし
	指導者(지도자)	しどうしゃ
	地図(지도)	ちず
ㅁ 진	陳列(진열)	ちんれつ
	➲ 練習(연습)	れんしゅう
	➲ 棟(동)	とう
	➲ 冷凍(냉동)	れいとう

틀리기 쉬운 한자

□ 질	疾患(질환)	しっかん
	➲ 痴漢(치한)	ちかん
	➲ 免疫(면역)	めんえき
	➲ 疲労(피로)	ひろう
□ 차	処理(처리)	しょり
	➲ 借りる(빌리다)	かりる
	➲ 措置(조치)	そち
□ 처	処理(처리)	しょり
	➲ 証拠(증거)	しょうこ
□ 초	招待(초대)	しょうたい
	➲ 紹介(소개)	しょうかい
	➲ 召集(소집)	しょうしゅう
□ 추	推薦(추천)	すいせん
	➲ 維持(유지)	いじ
	➲ 唯一(유일)	ゆいいつ
	➲ 誰(누구)	だれ
□ 축	お祝い(축하)	おいわい
	➲ 福(복)	ふく
□ 취	就職(취직)	しゅうしょく
	趣味(취미)	しゅみ
	摂取(섭취)	せっしゅ
□ 통	通勤(통근)	つうきん
	苦痛(고통)	くつう

	統一(통일)	とういつ
ㅁ 파	特派員(특파원)	とくはいん
	➲ 人脈(인맥)	じんみゃく
ㅁ 판	販売(판매)	はんばい
	出版(출판)	しゅっぱん
ㅁ 패	失敗(실패)	しっぱい
	➲ 賠償(배상)	ばいしょう
ㅁ 평	評価(평가)	ひょうか
	平和(평화)	へいわ
ㅁ 포	包装(포장)	ほうそう
ㅁ 폭	暴力(폭력)	ぼうりょく
	乱暴(난폭)	らんぼう
	爆発(폭발)	ばくはつ
ㅁ 피	被害(피해)	ひがい
	披露宴(피로연)	ひろうえん
	疲労(피로)	ひろう
ㅁ 하	河川(하천)	かせん
	何(하)	なに
	入荷(입하)	にゅうか
ㅁ 해	該当(해당)	がいとう
	➲ 核兵器(핵무기)	かくへいき
	➲ 弾劾(탄핵)	だんがい
ㅁ 항	項目(항목)	こうもく

부록 2·3급 틀리기 쉬운 한자

ㅁ허	許可(허가)	きょか
	➲ 訂正(정정)	ていせい
ㅁ확	確定(확정)	かくてい
	正確(정확)	せいかく
	收穫(수확)	しゅうかく
ㅁ흡	吸收(흡수)	きゅうしゅう
	呼吸(호흡)	こきゅう
	➲ 普及(보급)	ふきゅう
	➲ 供給(공급)	きょうきゅう

부록 2·3급 필수 암기 단어

「う」로 끝나는 동사

□ 扱う	あつかう	취급하다
□ 洗う	あらう	씻다
□ 争う	あらそう	싸우다
□ 祝う	いわう	축하하다
□ 伺う	うかがう	여쭈다, 살피다
□ 失う	うしなう	잃다
□ 疑う	うたがう	의심하다
□ 奪う	うばう	빼앗다
□ 占う	うらなう	점치다
□ 追う	おう	뒤쫓다
□ 負う	おう	(책임)지다
□ 補う	おぎなう	보충하다
□ 行う	おこなう	행하다
□ 襲う	おそう	습격하다
□ 競う	きそう	경쟁하다
□ 飼う	かう	기르다
□ 逆らう	さからう	거스르다
□ 誘う	さそう	꾀다
□ 従う	したがう	따르다
□ 救う	すくう	구하다
□ 適う	そぐう	적합하다
□ 損なう	そこなう	해치다
□ 齎う	そろう	갖추어지다

부록

□ 戦う	たたかう	싸우다
□ 漂う	ただよう	떠돌다
□ 誓う	ちかう	맹세하다
□ 償う	つぐなう	보상하다
□ 伴う	ともなう	동반하다
□ 担う	になう	짊지다
□ 狙う	ねらう	겨냥하다
□ 這う	はう	기다
□ 払う	はらう	지불하다
□ 拾う	ひろう	줍다
□ 舞う	まう	춤추다
□ 迷う	まよう	헤매다
□ 向かう	むかう	향하다
□ 養う	やしなう	기르다
□ 雇う	やとう	고용하다
□ 酔う	よう	취하다
□ 装う	よそおう	꾸미다
□ 笑う	わらう	웃다

「く・ぐ」로 끝나는 동사

□ 空く	あく	비다
□ 浮く	うく	뜨다
□ 描く	えがく	그리다
□ 驚く	おどろく	놀라다

□ 輝く	かがやく	빛나다
□ 欠く	かく	결여되다
□ 稼ぐ	かせぐ	벌다
□ 傾く	かたむく	기울다
□ 担ぐ	かつぐ	짊어지다
□ 乾く	かわく	마르다
□ 効く	きく	(약효)듣다
□ 築く	きずく	구축하다
□ 騒ぐ	さわぐ	떠들다
□ 注ぐ	そそぐ	붓다, 따르다
□ 抱く	だく	안다
□ 叩く	たたく	치다
□ 注ぐ	つぐ	따르다
□ 継ぐ	つぐ	잇따르다
□ 貫く	つらぬく	관통하다
□ 嘆く	なげく	한탄하다
□ 抜く	ぬく	빼다
□ 脱ぐ	ぬぐ	벗다
□ 除く	のぞく	제외하다
□ 吐く	はく	토하다
□ 履く	はく	신다
□ 省く	はぶく	생략하다
□ 塞ぐ	ふさぐ	막다
□ 防ぐ	ふせぐ	방지하다

부록 2·3급 필수 암기 단어

□ 巻く	まく	말다
□ 招く	まねく	부르다
□ 磨く	みがく	갈다
□ 導く	みちびく	인도하다
□ 向く	むく	적성이 맞다
□ 焼く	やく	굽다

す로 끝나는 동사

□ 犯す	おかす	범하다
□ 越す	こす	넘다
□ 肥やす	こやす	살찌우다
□ 耕す	たがやす	경작하다
□ 試す	ためす	시험하다
□ 垂らす	たらす	매달다
□ 費やす	ついやす	쓰다, 소비하다
□ 励ます	はげます	격려하다
□ 施す	ほどこす	베풀다
□ 浸す	ひたす	(물에)잠그다
□ 催す	もよおす	개최하다
□ 汚す	よごす	더럽히다

ぶ로 끝나는 동사

□ 及ぶ	およぶ	미치다
□ 叫ぶ	さけぶ	외치다

□ 忍ぶ	しのぶ	참다, 숨다
□ 並ぶ	ならぶ	줄서다
□ 結ぶ	むすぶ	잇다(연결하다)

む로 끝나는 동사

□ 歩む	あゆむ	걷다
□ 営む	いとなむ	영위하다
□ 刻む	きざむ	새기다
□ 悩む	なやむ	괴로워하다
□ 盗む	ぬすむ	훔치다
□ 潜む	ひそむ	가라앉다
□ 脹らむ	ふくらむ	팽창하다, 부풀다
□ 凹む	へこむ	움푹 파이다
□ 緩む	ゆるむ	느슨해지다

る로 끝나는 동사

□ 飽きる	あきる	싫증나다
□ 憧れる	あこがれる	동경하다
□ 訪れる	おとずれる	방문하다
□ 劣る	おとる	열등하다
□ 重なる	かさなる	겹치다
□ 狂う	くるう	미치다, 고장나다
□ 妨げる	さまたげる	방해하다
□ 叱る	しかる	꾸짖다

부록 2·3급 필수 암기 단어

□ 縛る	しばる	묶다
□ 薦める	すすめる	추천하다
□ 進める	すすめる	권하다
□ 揃える	そろえる	맞추다
□ 倒れる	たおれる	넘어지다
□ 告げる	つげる	보고하다
□ 尖る	とがる	뾰족하다
□ 整える	ととのえる	정리하다
□ 慰める	なぐさめる	위로하다
□ 撫でる	なでる	쓰다듬다
□ 怠ける	なまける	게을리하다
□ 似る	にる	닮다
□ 述べる	のべる	서술하다
□ 伏せる	ふせる	엎드리다
□ 誇る	ほこる	자랑하다
□ 痩せる	やせる	살이 빠지다
□ 譲る	ゆずる	양보하다
□ 寄る	よる	들르다

같은 한자를 쓰는 단어

□ 新しい	あたらしい	새롭다
□ 新た	あらた	새로운
□ 通う	かよう	다니다
□ 通る	とおる	통과하다

□焦げる	こげる	타다, 눋다
□焦せる	あせる	초조해하다
□危ない	あぶない	위험하다
□危うい	あやうい	위태롭다
□傾く	かたむく	기울다
□傾ける	かたむける	기울이다
□苦しい	くるしい	힘들다
□苦い	にがい	쓰다
□触る	さわる	닿다, 만지다
□触れる	ふれる	닿다, 언급하다
□染める	そめる	염색하다
□染みる	しみる	스며들다
□幸せ	しあわせ	행복
□幸い	さいわい	다행
□放す	はなす	놓아주다
□放る	ほうる	내버려두다
□怒る	おこる	화내다
□怒る	いかる	노하다
□訪れる	おとずれる	방문하다
□訪ねる	たずねる	방문하다
□交わす	かわす	나누다
□交える	まじえる	섞다
□絞る	しぼる	짜다
□絞める	しめる	졸라매다

필수 암기 단어

□ 試す	ためす	시험하다
□ 試みる	こころみる	시도하다
□ 抱く	だく	안다
□ 抱く	いだく	껴안다
□ 捕る	とる	잡다
□ 捕える	つかまえる	붙잡다
□ 止まる	とまる	멈추다
□ 止める	やめる	그만두다
□ 逃がす	にがす	놓아주다, 놓치다
□ 逃す	のがす	놓치다
□ 逃げる	にげる	도망치다
□ 優しい	やさしい	상냥하다
□ 優れる	すぐれる	뛰어나다

い로 끝나는 말

□ 渋い	しぶい	떫다
□ 酸っぱい	すっぱい	시다
□ 狡い	ずるい	교활하다
□ 鋭い	するどい	날카롭다
□ 鈍い	にぶい	둔하다

しい로 끝나는 말

□ 著しい	いちじるしい	현저하다
□ 厳しい	きびしい	엄하다

□ 悔しい	くやしい	분하다
□ 詳しい	くわしい	자세하다
□ 好ましい	このましい	바람직하다
□ 寂しい	さびしい	외롭다
□ 騒がしい	さわがしい	소란스럽다
□ 乏しい	とぼしい	궁핍하다
□ 貧しい	まずしい	가난하다
□ 眩しい	まぶしい	눈부시다

그 외

□ 未だに	いまだに	아직
□ 暫く	しばらく	잠시
□ 速やか	すみやか	신속함
□ 巧み	たくみ	교묘함
□ 確か	たしか	확실함
□ 直ちに	ただちに	곧바로
□ 朗らか	ほがらか	명랑함
□ 全く	まったく	전혀
□ 専ら	もっぱら	오로지

까다로운 한 글자 읽기

□ 跡	あと	발자취
□ 穴	あな	구멍
□ 泡	あわ	거품

부록 2·3급 필수 암기 단어

□ 勢い	いきおい	기세
□ 泉	いずみ	샘
□ 命	いのち	생명, 목숨
□ 池	いけ	연못
□ 器	うつわ	그릇, 도량
□ 鰻	うなぎ	뱀장어
□ 梅	うめ	매화
□ 裏	うら	뒤, 뒷면
□ 噂	うわさ	소문
□ 帯	おび	띠
□ 表	おもて	표면
□ 株	かぶ	주식
□ 壁	かべ	벽
□ 髪	かみ	머리카락
□ 雷	かみなり	벼락
□ 崖	がけ	벼랑
□ 霧	きり	안개
□ 靴	くつ	신발, 구두
□ 腰	こし	허리
□ 煙	けむり	연기
□ 坂	さか	비탈길
□ 塩	しお	소금
□ 潮	しお	조류(潮流)
□ 鹿	しか	사슴

□ 滴	しずく	물방울
□ 筋	すじ	근육
□ 砂	すな	모래
□ 隅	すみ	구석
□ 炭	すみ	숯
□ 墨	すみ	먹
□ 底	そこ	바닥
□ 袖	そで	소매
□ 平ら	たいら	평평함
□ 宝	たから	보물
□ 丈	たけ	길이, 기장
□ 類	たぐい	류, 종류
□ 畳	たたみ	다다미
□ 質	たち	기질, 천성
□ 縦	たて	세로
□ 種	たね	씨앗
□ 魂	たましい	혼
□ 翼	つばさ	날개
□ 粒	つぶ	알갱이
□ 坪	つぼ	~평
□ 妻	つま	아내
□ 隣	となり	이웃
□ 泥	どろ	진흙
□ 謎	なぞ	수수께끼

부록 2·3급 필수 암기 단어

□ 鍋	なべ	냄비
□ 涙	なみだ	눈물
□ 沼	ぬま	늪
□ 灰	はい	재
□ 墓	はか	묘
□ 橋	はし	다리
□ 箸	はし	젓가락
□ 肌	はだ	피부
□ 裸	はだか	알몸
□ 幅	はば	폭
□ 額	ひたい	이마
□ 袋	ふくろ	자루, 주머니
□ 炎	ほのお	불꽃
□ 枕	まくら	베개
□ 稀	まれ	드묾
□ 湖	みずうみ	호수
□ 皆	みな	모두
□ 港	みなと	항구
□ 峰	みね	봉우리
□ 昔	むかし	옛날
□ 麦	むぎ	보리
□ 報い	むくい	보답
□ 紫	むらさき	보라
□ 群れ	むれ	무리

□ 宿	やど	숙소
□ 柳	やなぎ	버드나무
□ 病	やまい	병
□ 横	よこ	옆, 가로
□ 輪	わ	원형

특수하게 읽는 한자

□ 田舎	いなか	시골
□ 遠足	えんそく	소풍
□ 上半期	かみはんき	상반기
□ 為替	かわせ	환
□ 傷跡	きずあと	상처자국
□ 口紅	くちべに	립스틱
□ 怪我	けが	상처
□ 景色	けしき	경치
□ 心地	ここち	심지, 마음씨
□ 御馳走	ごちそう	접대
□ 小麦粉	こむぎこ	밀가루
□ 湿気	しっけ	습기
□ 芝生	しばふ	잔디
□ 下半期	しもはんき	하반기
□ 素足	すあし	맨발
□ 隙間	すきま	간격
□ 頭脳	ずのう	두뇌

부록 2·3급 필수 암기 단어

□ 相撲	すもう	스모
□ 大豆	だいず	대두
□ 人柄	ひとがら	인품
□ 迷子	まいご	미아
□ 牧場	まきば	목장
□ 喪服	もふく	상복
□ 家主	やぬし	집주인
□ 行方	ゆくえ	행방
□ 指輪	ゆびわ	반지

일본어 능력시험에 꼭! 나오는

필수일본어단어집

개정3판3쇄 2024년 10월 25일
저자 / 강진형
발행인 / 이기선
발행처 / 제이플러스
주소 / 경기도 고양시 덕양구 향동로 217 KA1312
영업부 02-332-8320 편집부 02-3142-2520
홈페이지 / www.jplus114.com
등록번호 / 제10-1680호
등록일자 / 1998년 12월 9일
ISBN / 979-11-5601-210-8

값 16,000원
▲파본은 구입하신 서점이나 본사에서 바꾸어 드립니다.